BENOÎT VITKINE

Donbass

LES ARÈNES

Ce titre a été publié dans la collection EquinoX.

ISBN : 978-2-253-07945-3 – 1re publication LGF

« Vous avez déjà rencontré des mineurs ?
— Non.
— Je vous conseille de dire la vérité. Ces hommes travaillent dans le noir, ils voient tout. »

Chernobyl, HBO

La première fois que les camions sans phares s'étaient garés dans la cour de l'immeuble, quelques semaines plus tôt, Sacha Zourabov avait été effrayé. Le garçon avait instinctivement senti que les hommes affairés autour des véhicules, dans le terrain vague, n'auraient pas voulu le voir à sa fenêtre, occupé à les observer. Des hommes comme ceux-là, capables de travailler dans l'obscurité la plus complète, pouvaient sans doute le voir dans la nuit. Malgré sa petite taille. Malgré les efforts qu'il faisait pour respirer le plus discrètement possible. Il s'était blotti sous les couvertures, restant éveillé jusqu'à ce que le bruit des moteurs cesse. Longtemps après leur départ, il n'avait pu s'endormir, tenaillé par la curiosité.

Alors quand ils étaient revenus, ce soir-là, le garçonnet avait enfilé ses chaussons et s'était approché sans bruit de la fenêtre, calant son ventre contre le radiateur froid, ne laissant apparaître que ses yeux et le sommet de son crâne. Les camions sans phares étaient plus nombreux, cette fois. Sacha en compta au moins six. À la lueur de la lune, il voyait distinctement leurs silhouettes massives. De gros engins de production soviétique, sûrement des Kamaz. Sacha les adorait : ils ne tombaient jamais en panne et pouvaient passer partout, dans la neige, la boue, et même traverser des rivières. Les hommes aussi étaient plus nombreux et ils semblaient à Sacha à peine moins massifs que les camions. Leurs carrures renforçaient l'enfant dans sa certitude que ces hommes-là étaient « sérieux », comme disait son oncle. Ils n'avaient pas la stature voûtée des petits vieillards que l'on voyait d'habitude dans le quartier.

Les ombres se passaient de main en main de gros sacs qu'elles entassaient dans des wagonnets semblables à ceux qu'on utilisait à la mine. Cela aussi, son oncle le lui avait raconté. Il était un homme « sérieux », lui aussi, un mineur aux épaules larges qui aurait pu se mesurer sans rougir aux hommes de la cour. Le garçon s'enhardit et entrouvrit la fenêtre. Une bourrasque lui claqua au visage. Il entendait distinctement les jurons étouffés par lesquels les hommes accompagnaient leurs efforts. Sacha les écoutait avec une joie mauvaise. « Putain. » Que des mots interdits à la maison. « Chatte. » Il n'en avait jamais entendu autant. « Salope »…

Sacha écoutait et observait, hypnotisé. Pourquoi n'attendaient-ils pas le matin pour finir leur labeur ? C'était pourtant plus simple à la lumière du jour, et il faisait un peu moins froid. Un rayon de lune éclaira le visage d'un des hommes, presque entièrement noir. Sacha eut un frisson d'excitation : des commandos ! Il le savait, les forces spéciales avaient pour habitude de se masquer le visage pour mener leurs opérations secrètes. Peut-être même le régiment Alfa, les durs des durs du SBU, les services de sécurité. Puis il comprit : l'homme avait simplement le visage recouvert de poussière de charbon. C'est donc que les gros sacs qu'ils chargeaient dans les wagonnets étaient eux aussi remplis de charbon ! À la pensée du minerai, Sacha ressentit à nouveau la brûlure du radiateur gelé contre son ventre. Le froid était partout dans la pièce. Comme il aurait aimé avoir un seul de ces gros sacs.

Quand ils eurent fini de charger les wagonnets, les hommes reprirent leur ballet, cette fois en sens inverse. Ils se passaient de grosses caisses empilées dans le terrain vague et les entassaient à l'arrière des véhicules. Plusieurs d'entre eux partirent en poussant sur les rails les wagonnets remplis de sacs de charbon. Les voies conduisaient droit à l'Usine ! En se penchant sur la gauche, Sacha aperçut les lueurs rouges qui s'échappaient de l'immense cokerie. En pleine nuit, elles étaient belles comme un feu de joie. Sacha rêvait de s'y introduire, un jour, de voir les fours gigantesques où l'on brûlait les cailloux noirs pour fabriquer le coke, une sorte de super-charbon amélioré, lui avait expliqué son oncle, qu'on utilisait comme combustible dans les usines sidérurgiques de la région. Il était encore trop petit pour cela, se dit-il. Trop peureux, rectifia-t-il aussitôt, réprimant honteusement cette dernière pensée.

Un bruit sourd interrompit son observation. La respiration du garçon se bloqua, le grondement de l'explosion lui avait comprimé la cage thoracique. Il resta quelques instants la bouche ouverte, respirant difficilement. Il dut faire un effort pour ne pas se jeter sous son petit bureau, subitement envahi par la peur. Peut-être fallait-il réveiller grand-mère et descendre dans la cave? Sa maman lui avait fait promettre de s'occuper de la vieille *babouchka* et de la mettre à l'abri quand les bombes tombaient à proximité de leur immeuble. Mais la curiosité était trop forte. Il plia légèrement les genoux, s'écrasant encore plus contre le radiateur glacé. Il avait eu raison : les autres non plus ne s'étaient pas arrêtés. Ils s'étaient figés quelques instants et avaient repris leur travail. Plus rapidement, avec des gestes saccadés, nerveux, comme s'ils guettaient. La première explosion fut suivie par trois autres, tout aussi fortes. Canon, se dit Sacha, fier de son savoir. Les mortiers n'étaient pas capables de tirer aussi loin dans Avdiïvka, et ils ne faisaient pas un bruit aussi impressionnant. Tout en gardant un œil sur les hommes affairés, le garçonnet essayait de distinguer où tombaient les obus. Il parvenait à présent à respirer normalement, mais sa mâchoire demeurait crispée, ses dents serrées. Un éclair jaillit à quelques pâtés de maisons, probablement vers la rue Donetskaïa, pensa l'enfant. En se tordant à travers la fenêtre, il devina la lueur d'un incendie et crut même entendre des cris dans la nuit. Il eut à nouveau peur. On pouvait mourir, dans un incendie. Il n'avait pas envie de mourir.

— D'où vient tout ce bruit, Sacha?

Sa grand-mère s'était approchée sans qu'il s'en rende compte, une bougie à la main. Machinalement, elle appuya sur l'interrupteur, mais la pièce resta dans l'obscurité.

— Ce n'est rien, *baboulia*, c'est la guerre qui recommence.

— Ah, très bien, fit-elle d'un ton étrangement satisfait. Je vais faire du thé.

La vieille femme allait s'esquiver, mais son visage ridé réapparut dans l'encadrement de la porte. Il avait un air soucieux que Sacha ne lui connaissait pas.

— Dis-moi, mon garçon, de quelle guerre s'agit-il ? demanda-t-elle en fixant intensément l'enfant.

Sacha resta interdit un instant. Il y avait donc plusieurs types de guerres ? Personne ne le lui avait jamais dit. Quand les adultes discutaient de la guerre, ils disaient *la guerre*. Même sa mère, qui, il en était sûr, avait vécu beaucoup plus longtemps que lui, ne lui avait jamais parlé d'aucune autre guerre. L'enfant se sentit honteux de ne pas savoir quoi répondre à sa mamie.

— Recouche-toi, grand-mère. Ce sont seulement les canons.

Au loin, le ciel s'embrasait, illuminé par les lueurs de l'incendie, traversé de part en part par les traînées dorées des obus. Sacha en avait oublié de surveiller la cour, où les hommes avaient à présent fini leur travail. Les camions s'éloignaient les uns après les autres, tous feux éteints, les derniers wagonnets partaient vers l'Usine. Les lueurs rougeoyantes de cette dernière étaient toujours là, chaudes et rassurantes. Cinq minutes plus tard, la cour était déserte. La canonnade aussi s'était éloignée : le son arrivait maintenant plus étouffé, d'un peu plus loin au nord. Sans doute vers Krasnohorivka. Sacha continuait de fixer la cour, espérant quelque événement nouveau, mais le silence s'était installé. Il allait déclarer forfait quand il aperçut l'un des gros sacs de jute abandonné dans un recoin, au pied d'un monticule. Le tissu beige ressortait distinctement sur la neige. Il avait dû basculer d'un wagon au moment où les hommes chargeaient. Son cœur s'emballa. Comme il aimerait avoir un tel sac ! Le rapporter à sa grand-mère et quand celle-ci, pleine de reconnaissance, lui demanderait comment il avait obtenu une telle merveille, simplement hausser les épaules et lancer un sourire vague, modeste. Voilà comment un homme agirait ! Mais Sacha ne bougeait pas. Il aurait d'abord fallu aller dans la chambre de sa grand-mère récupérer son manteau : sortir découvert aurait été imprudent. Et aurait-il la force de soulever le sac ? Sacha hésitait. Il savait déjà, confusément, que ce soir-là il n'irait nulle part. Demain, il serait au rendez-vous. Il se lèverait tôt et irait avant même le lever du jour. Demain, le sac de charbon serait à lui.

Satisfaite d'elle-même malgré ses pieds qui commençaient à s'engourdir dans la mince couche de neige fraîche, Antonina Gribounova plissa les yeux et aspira une grande bouffée d'air frais. À l'aube, la neige était tombée pendant plusieurs heures, mais au moment de sortir de chez elle la vieille avait préféré rester en pantoufles. Chausser ses bottes signifiait partir pour une lointaine expédition, et elle n'en avait nullement l'intention. Et puis on était déjà mi-mars, se dit-elle, l'air n'allait pas tarder à se réchauffer. Elle jeta un œil vers la trappe et, en se penchant, lança d'une petite voix qu'elle espérait joyeuse :

— Henrik, tu t'en sors, ma colombe ?

N'obtenant pas de réponse, elle sourit une nouvelle fois. Si l'homme se taisait, c'est qu'il mettait du cœur à l'ouvrage et allait réussir. Elle rentra à petits pas dans la cuisine, prit sur le rebord de la fenêtre une bouteille ambrée de vodka au piment, servit un verre, y trempa son petit doigt, le suçota un instant, puis reposa le verre sur la table en prévision du moment où Henrik sortirait de la cave.

Toute sa vie, Antonina Vladimirovna Gribounova

avait utilisé la même recette : si vous voulez la compagnie et l'amitié des hommes, demandez-leur sans cesse des services, manuels de préférence. C'est ainsi qu'elle avait pu retenir tant d'années son mari, et dans un état pas trop lamentable. Tous les dimanches, et parfois certains soirs de la semaine, elle lui trouvait une tâche – un chauffe-eau à réparer, une clôture à solidifier, sans compter les heures innombrables passées dans le potager. Comme elles lui paraissaient heureuses, désormais, ces heures occupées à retourner la terre et arroser les courgettes avec Anton ! Cela n'empêchait pas le brave homme de passer une quantité considérable de son temps dans les cantines du centre-ville, mais au moins il le faisait le cœur léger, fier du devoir accompli et rassuré quant à sa dignité de chef de famille. Il était déjà arrivé à Anton, une fois quelques verres avalés, de s'imaginer en héros d'affiches du Parti proclamant : « Le bricolage est le pilier de la famille soviétique. » On les aurait distribuées dans tout le pays dans le but d'édifier les masses et les jeunes pères de famille inexpérimentés.

Anton était mort à 52 ans, un an après l'éclatement de l'Union soviétique, les poumons noirs et la gorge sèche. Tué, comme tous les gars de la ville, par ses années de travail à la cokerie. Au moins n'avait-il pas eu le malheur de voir celle-ci dépérir et la moitié de ses anciens collègues licenciés. Antonina lui survivait depuis vingt-cinq ans. Dans les premières années, elle s'était montrée timide, n'osant pas solliciter ses voisins, trop forte encore pour pouvoir raisonnablement quémander de l'aide. À mesure que ses forces la quittaient, elle s'était laissée aller : elle avait commencé par demander aux enfants du village de lui rapporter du pain ; puis, s'enhardissant, elle avait formé autour d'elle un cercle de bonnes âmes toujours prêtes à réparer un réfrigérateur hors d'âge ou à changer une ampoule. Henrik était son préféré. Elle s'épanouissait à mesure que son cercle de bienfaiteurs s'élargissait, devenant l'une de ces grands-mères souriantes et joyeuses qui donnaient l'impression de vouloir toujours serrer le premier venu contre leur opulente poitrine. La guerre n'avait rien changé à cela. Des voisins étaient partis, mais ceux qui restaient se serraient les coudes. Antonina s'efforçait de se montrer attentive envers ses voisines tout aussi démunies qu'elle mais moins audacieuses. À tous, elle distribuait ses « ma colombe » affectueux.

Henrik émergea enfin de la trappe. Il tenait par le cou un chaton malingre et tremblotant.

— Antonina Vladimirovna, il va falloir tout votre amour pour le ramener à la vie, trancha-t-il sentencieusement.

Trois jours plus tôt, lors du dernier bombardement sérieux, Antonina avait emmené Vassili et le chaton à la cave, simple trappe située dans le fond du jardin. Les murs avaient tremblé plus que de coutume, ce soir-là. Les bombes s'étaient abattues sur le quartier pendant près d'une heure, avant de s'en aller vers l'est. Rue Donetskaïa, disait-on, deux appartements avaient flambé jusqu'au petit matin.

Au plus fort du bombardement, le chaton terrifié lui avait échappé pour se réfugier sous un lourd établi. Antonina n'était pas du genre à s'inquiéter, se disant que l'animal sortirait de sa cachette quand il aurait faim. Mais il n'en était rien. Depuis trois jours, le félin n'avait pas quitté son refuge, visiblement décidé à se laisser mourir plutôt que d'affronter les grondements du monde extérieur. Même les appels maladroits de Vassili, que le chat adorait, n'avaient pas suffi. Antonina s'était résolue à demander l'aide d'Henrik.

— Henrik, va, va à la cuisine. Je t'ai préparé un petit verre et quelques tranches de saucisson, dit-elle en attrapant le chaton et en le fourrant dans la poche de la grosse veste qu'elle avait passée sur sa robe de chambre.

Celle-ci, en éponge rose, se mariait à la perfection avec la rangée de dents en or qui peuplaient sa bouche. L'ensemble donnait à la vieille dame un aspect comique et rassurant. Au loin, le bruit lancinant de la canonnade reprit, et le chaton se blottit encore plus contre le ventre chaud d'Antonina. Il n'était que 9 heures, les armes parlaient plus tôt que d'habitude, ce matin-là. Comme si son horloge biologique se voyait troublée, Henrik se sentit en retard.

— Antonina Vladimirovna, je ne bois pas avant d'aller au travail, marmonna-t-il en grimpant dans son 4×4.

En se retournant pour adresser un sourire d'excuse à la vieille, il aperçut le petit Vassili sortir du coin où il s'était caché, attendant visiblement son départ pour se précipiter vers la vieille et le chaton. Le gamin avait 4 ou 5 ans, il était maladivement timide et faisait un peu pitié à Henrik. Antonina Gribounova l'avait récupéré deux ans plus tôt. Ses parents, des cousins éloignés, avait-elle expliqué, étaient morts dans un accident de voiture, et le petit n'avait plus personne. Il passait ses journées blotti dans les jupes de la vieille et posait sans cesse sur elle son regard étonné.

À mesure qu'Henrik s'éloignait du Vieil-Avdiïvka et se rapprochait du centre de la ville neuve, le bruit des explosions se faisait plus lointain, moins oppressant. Son soulagement ne dura pas, rapidement remplacé par un malaise diffus. C'est lui qui avait insisté auprès de sa femme pour qu'ils viennent s'installer ici. Le Vieil-Avdiïvka avait de faux airs de village, avec ses maisons à un étage en mauvaise brique paresseusement étalées le long de routes qui rappelaient des chemins : l'asphalte avait disparu, ou bien, plus séduisant encore, personne n'avait même pensé à en répandre. Chaque maison disposait d'un petit jardin, et même si l'ensemble avait un aspect misérable, jonché de détritus de plastique et de métal, c'est ce qui avait séduit Henrik. Anna avait négocié pied à pied, navrée d'abandonner leur bel appartement dans la ville nouvelle et peu désireuse de se lancer dans la culture d'un potager. Les discussions avaient duré des mois, et Anna n'avait compris le sérieux de son mari que lorsque celui-ci avait fini par lâcher, un soir : « Si on ne le fait pas, je finirai par te quitter. » Henrik avait dit cela sans amertume ni chagrin. Depuis la mort de leur fille, douze ans plus tôt, il était même convaincu qu'il finirait tôt ou tard par quitter sa femme, routes asphaltées ou non. Ou que celle-ci, tout aussi lasse que son mari, s'en irait. La cure de grand air et de « simplicité » – le mot était de lui et elle l'avait gentiment moqué – qu'ils s'offraient en déménageant dans une maison du Vieil-Avdiïvka n'allait pas fondamentalement améliorer les choses.

Cela ne l'empêchait pas, à présent, de se sentir coupable. Dans les premiers mois de la guerre, au printemps 2014, Avdiïvka n'était qu'une bourgade parmi les nombreuses localités du Donbass convoitées par les séparatistes. Ceux-ci étaient apparus dans l'est et le sud de l'Ukraine dans la foulée de la révolution de Maïdan, à Kiev. Le renversement du président et la victoire des proeuropéens dans les rues de la capitale avaient suscité une série de révoltes dans les régions orientales et méridionales. Les rebelles se revendiquaient prorusses et refusaient l'autorité du nouveau pouvoir. Le mouvement avait fait long feu, mais dans la région minière et industrielle du Donbass, la rébellion s'était imposée. Encouragés par l'annexion quelques semaines plus tôt de la Crimée, armés en sous-main par Moscou, les séparatistes locaux s'étaient emparés des grandes agglomérations de la région, à commencer par Donetsk, la capitale régionale et la ville natale d'Henrik. Avdiïvka et toute la partie ouest du Donbass étaient à leur tour passées dans le giron des rebelles, jusqu'à ce que Kiev finisse par réagir. Impuissant face à l'invasion silencieuse de la Crimée, le nouveau pouvoir avait décidé de montrer les crocs dans l'Est. À l'été 2014, la contre-offensive ukrainienne avait failli venir à bout de la rébellion. Au moins Avdiïvka avait-elle été libérée. Mais l'armée russe était aussitôt entrée dans la danse. Les soldats et les tankistes russes sans insignes avaient traversé la frontière par unités entières et la guerre, la vraie, avait commencé. Ilovaïsk, Saour-Moguila, Komsomolskoïe… L'armée ukrainienne avait perdu des milliers d'hommes. Quatre ans plus tard, le conflit se poursuivait de manière absurde. On se tirait dessus au canon, on s'enterrait dans des tranchées, on continuait en somme à mourir, mais le front ne bougeait plus. Manque de chance, il s'était stabilisé précisément à la sortie de la vieille ville d'Avdiïvka, là où Henrik avait entraîné Anna. La ville neuve et le centre, situés plus à l'ouest, étaient relativement épargnés par les combats. Les obus qui s'abattaient sur les immeubles de cinq étages du centre faisaient des dégâts impressionnants, mais ils étaient peu fréquents. Alors que dans le Vieil-Avdiïvka, les journées sans bombardement étaient l'exception. C'est là que l'on mourait le plus, là que les vieilles ramassaient du métal fondu dans leurs potagers, là que les chatons se suicidaient. La maison qu'Henrik avait été si heureux d'acquérir était désormais située à huit cents mètres d'une position de la 72ᵉ brigade de l'armée ukrainienne, l'unité chargée de la défense d'Avdiïvka. Au-delà, c'était le territoire tenu par les séparatistes, dont le contrôle échappait à Kiev : Yasinouvata, Gorlovka, vers l'est ; Spartak, Donetsk, juste au sud. Et au-delà, Makeevka, Chakhtiorsk, Antratsyt, Lougansk ! Depuis combien d'années Henrik n'avait-il pas mis les pieds là-bas ? Ces localités qu'il connaissait comme sa poche, qu'il avait arpentées des années durant, étaient devenues *terra incognita*, des villes fantômes au nom desquelles on s'entre-tuait mais qui s'effaçaient peu à peu de sa mémoire. Il aurait pu facilement retrouver un appartement dans le centre, mais malgré sa culpabilité, il n'arrivait pas à se résoudre à une nouvelle défaite. Henrik se rassurait aussi à l'idée qu'il y avait encore pire que lui : certaines maisons du Vieil-Avdiïvka étaient à deux cents mètres du front, en pleine zone de guerre. La roulette russe.

Après avoir traversé la voie ferrée qui séparait les deux parties de la ville, Henrik roula encore dix minutes. Il gara son 4×4 Mitsubishi à sa place habituelle, entre deux monticules de neige fraîche, et pénétra dans le commissariat.

— Bonjour, colonel, soupira Krolov, l'agent en faction, sans essayer le moins du monde de donner une tonalité sympathique à son salut.

Le chef de la police n'était pas du genre à se formaliser pour des écarts de discipline et la brigade en profitait.

— Qu'est-ce qu'on a ? demanda Henrik à son adjoint, le capitaine Igor Balouga, qui sirotait un café brûlant.

— Un maraudeur. Les voisins l'ont surpris à

l'aube en train de s'introduire dans un appartement abandonné, rue Festivalna.

— Les propriétaires ?

— Des gens d'ici, une famille de quatre. Partis s'installer à Marioupol en 2015. Le père revient de temps en temps vérifier que tout est en ordre.

— Je m'en occupe.

Le capitaine haussa les sourcils, étonné. On ne pouvait pas même qualifier d'« affaire » la capture d'un maraudeur. C'était presque déplacé de la part du colonel de s'en mêler. Mais Balouga n'émit aucune objection. Henrik Kavadze était un original, qu'il fasse à sa guise.

— Salut, jeune homme, ton nom ? dit Henrik en pénétrant dans le bureau humide aux murs craquelés qui faisait office de salle d'interrogatoire.

— Je l'ai déjà dit à vos copains, grommela l'adolescent sans lever les yeux.

Le colonel sentit une grande lassitude l'envahir. Ses cinquante-quatre années d'existence, dont vingt-cinq à exercer le métier de flic, avaient passablement entamé sa foi dans le genre humain, mais il était parvenu à conserver une tendresse coupable pour la jeunesse, une forme de crainte et d'admiration pour sa vitalité. La guerre l'avait conforté dans cet espoir naïf : certains gamins étaient devenus plus violents, se bagarraient dans les bars, mais la grande masse des collégiens et des lycéens semblait avoir conservé un enthousiasme innocent. Les directrices d'école lui assuraient que les jeunes s'étaient même mis à travailler sérieusement, levant le nez de leurs smartphones. Les lendemains de bombardements, ils se souriaient gentiment, comme des biches apeurées. Alors la vue de ce gamin insolent en survêtement lui mettait les nerfs en pelote. Le coup partit avant même qu'il s'en rende compte. Un méchant revers de la main sur la tempe de l'adolescent.

— Stas Beliakov, chef! fit le jeune homme en sursautant. Je m'appelle Stanslav Sergueïevitch Beliakov, 16 ans, en 10ᵉ classe à l'école numéro 2, rue Korolova.

Instantanément, Henrik regretta son geste. Le bougre n'avait pas l'air mauvais, avec ses yeux brillants et ses taches de rousseur. Il essayait certes de se donner un air de dur, survêt et cheveux rasés, mais il était loin d'être encore perdu.

— Pourquoi tu es entré dans un appartement qui n'est pas le tien, Stas?

— J'espérais y trouver des affaires. Des habits, des conserves, peu importe…

— Tu n'as pas à manger chez toi?

— Je vis avec ma grand-mère, répondit le gamin, gêné. Sa retraite est minuscule, et on a mis tout l'argent qu'on avait de côté pour acheter un radiateur électrique. On habite dans les grands immeubles de Vorobiova, il n'y a plus de chauffage là-bas.

— Tu sais que de l'autre côté, chez les séparatistes, tu pourrais être fusillé pour ça?

Le gosse parut enfin se réveiller, une vague expression inquiète se dessina sur son visage.

— Quoi ? parvint-il à articuler.

— Slaviansk, Strelkov, ça ne te dit rien ?

— Non… Pas vraiment, parvint à articuler l'autre.

Henrik ouvrit la bouche puis la referma. De la préhistoire, voilà ce qu'étaient devenus les épisodes du début de la guerre. Des récits pour anciens combattants auxquels plus personne n'accordait d'importance. Ce n'était pas si loin pourtant… Printemps 2014, Slaviansk. La grande ville du Nord avait été la première à tomber aux mains des séparatistes. Sous les ordres d'Igor Strelkov, un officier du FSB venu spécialement de Russie, ils y avaient fait régner pendant trois mois un climat de terreur. Le type était un fanatique, un nationaliste borné. Quand les Ukrainiens avaient repris la ville, à l'été, on avait trouvé dans ses papiers l'ordre d'exécution d'un gamin accusé d'avoir volé un pantalon dans un appartement abandonné. Le document se fondait sur la loi martiale imposée par Staline pendant la Guerre… Et le corps du gamin avait été retrouvé dans une fosse commune.

— Les autres m'ont dit que tout était OK, reprit le jeune Stas d'un air craintif.

— Quels autres ?

— Ben, les autres policiers… Le gros capitaine…

Henrik commençait à comprendre.

— On t'a pris de l'argent ?

Le gamin s'enfonça encore un peu plus dans sa doudoune, sentant les ennuis arriver.

— Le capitaine a vérifié mes papiers et a pris les

500 hryvnias que j'avais dans mon portefeuille. Il m'a dit de lui amener le double demain.

Les yeux du policier se voilèrent. Son grand corps maigre se tassa sous l'effet du choc. Il connaissait toutes les combines de Balouga, et si celles-ci étaient moins florissantes qu'avant la guerre, son adjoint avait conservé des sources de revenus confortables. Les patrouilles routières lui reversaient une part de l'argent qu'elles rackettaient aux automobilistes ; le capitaine continuait aussi de percevoir des « taxes » de différents petits groupes criminels et d'entreprises en délicatesse avec la loi ; il lui arrivait aussi de soutirer de l'argent à d'honnêtes entrepreneurs en les menaçant de diverses enquêtes. Rien de tout cela ne choquait vraiment Henrik. Le policier avait trop d'expérience pour s'émouvoir de la corruption de ses hommes. Mais dépouiller ainsi, pour une somme mesquine, le jeune garçon qui se tenait en face de lui ? Henrik hésita un instant à s'attaquer à Balouga avec l'aide de l'adolescent, mais la lassitude reprit le dessus. Et puis le petit avait l'air trop impressionnable, il ne tiendrait pas la route dans une longue et périlleuse bataille judiciaire. Henrik se contenta de lui glisser un billet de 1 000 hryvnias et le renvoya chez lui. S'il n'oubliait pas, il passerait un coup de téléphone à son école pour s'assurer qu'on le tienne à l'œil. Et à la première occasion, il collerait un savon ou une droite à Balouga.

En attendant, il avait seulement envie d'échapper à la moiteur du commissariat surchauffé. Après les derniers combats sérieux, fin février, le chauffage était resté coupé deux semaines, les gens grelottaient chez eux, l'eau des toilettes gelait au fond de la cuvette. Les installations avaient été réparées quelques jours auparavant et, malgré la brusque hausse des températures, les employés municipaux semblaient se venger en poussant les turbines à fond. Henrik enfila en transpirant son lourd uniforme militaire. Dans toute la zone de l'Opération antiterroriste, le nom officiel de la guerre menée par Kiev dans la région, les policiers étaient tenus de porter un uniforme spécial, doudoune et pantalon rembourré, évoquant davantage la tenue du soldat que le traditionnel uniforme bleu-gris. Il prit à pied le chemin du café Out, à deux pâtés de maisons de là, laissant sa kalachnikov dans son bureau. La neige commençait à fondre, coagulant avec l'épaisse couche de boue qui recouvrait la chaussée depuis le début de l'hiver. Au loin, trois détonations étouffées par l'air humide retentirent. Simples tirs de mortier, nota mentalement Henrik.

Le café sentait le graillon et les œufs au plat du policier étaient huileux, bizarrement rabougris dans son assiette. Dans un coin, deux jeunes soldats de la 72e s'imbibaient consciencieusement. À moitié avachis sur leurs chaises, ils faisaient semblant de donner à leur beuverie des airs de fête, bredouillant des toasts solennels à la gloire de l'Ukraine et de leur régiment. Théoriquement, les commerçants d'Avdiïvka n'avaient pas le droit de vendre de l'alcool aux soldats. Ordre de l'armée. La consigne était généralement respectée, mais le café Out semblait bénéficier d'un statut d'extraterritorialité, qu'il s'efforçait de justifier avec son décor de palmiers en plastique sur lesquels passaient les lumières multicolores d'un stroboscope allumé jour et nuit. À la table voisine, deux filles d'une quinzaine d'années lorgnaient les militaires, croisant haut leurs jambes fines et lançant des œillades appuyées. L'âge d'être à l'école, comme son client du matin. L'âge que n'avait pas atteint sa fille. Henrik détourna le regard, préférant ne pas observer les signes de l'idylle naissante. Tout cela était vulgaire.

— Henrik, tu crois que tu pourras nous envoyer le ministre ?

La voix de Nadia, la serveuse, le sortit de son aigre rêverie. La jeune femme avait abandonné son habituel air renfrogné, composé spécialement pour affronter les poivrots du Out, et regardait l'homme en uniforme avec un enthousiasme juvénile.

— Pourquoi le ministre et sa suite viendraient-ils poser leurs coudes sur tes tables crasseuses ? ne put s'empêcher de rétorquer Henrik.

Même face à la petite Nadia, il se montrait désagréable.

— Henrik, tu n'es qu'un vieux cynique !

— Je leur glisserai un mot, consentit Henrik sachant qu'il n'en ferait rien.

L'excitation de Nadia avait au moins eu le mérite de lui rappeler la visite, attendue l'après-midi, du ministre de l'Intérieur, Ognen Azbakov. Des choses basiques lui échappaient parfois. Il n'avait pas fait attention, le matin, à l'effervescence qui régnait au commissariat, aux dames de ménage qui s'affairaient pour camoufler la crasse, aux uniformes bien repassés de ses collègues. Pour Henrik, cette visite était une plaie. Comme celles de tous les grands personnages venus de Kiev, elle n'apporterait rien. Quand la situation à Avdiïvka devenait dramatique, c'étaient les bénévoles qui acheminaient dans la ville des paquets d'aide alimentaire collectés dans tout le pays. Quand le chauffage ou l'électricité étaient arrêtés, les employés de l'usine de coke remontaient leurs manches pour remettre en route les installations. L'État était aux abonnés absents.

Le colonel connaissait déjà le scénario. Engoncé dans un gilet pare-balles trop étroit pour son gros ventre, le ministre insisterait pour visiter les positions avancées de l'armée, il serrerait la main de quelques vieilles femmes aux anges, ferait un tour à l'hôpital et, devant les derniers immeubles bombardés de la rue Donetskaïa, écouterait d'un air grave les récriminations de leurs habitants. Et pour finir, il prononcerait devant les caméras quelques mots inspirés sur le courage des soldats et le destin tragique d'Avdiïvka, ville martyre soumise depuis trois ans au feu impitoyable des séparatistes et de l'armée russe.

Durant tout ce cirque, lui, Henrik, devrait l'accompagner. Il sourirait devant les vieilles, hocherait la tête quand le ministre prendrait un air pénétré et défilerait avec tout ce que la ville compte de notables en rang d'oignons : les officiers de la 72e, le chef de l'administration civilo-militaire, le pope, le chef des pompiers, le directeur de l'usine de coke, ce vieux renard de Levon Andrassian… Dans cet aréopage, il était probablement le plus impuissant. L'armée régnait en maître dans toute la zone du front et les policiers n'étaient que de simples figurants.

Cela n'empêcherait pas le ministre de lui taper chaleureusement sur l'épaule. Henrik Kavadze disposait dans les hautes sphères d'un capital de confiance et de sympathie inépuisable. Non pas qu'il soit un policier particulièrement efficace, mais il avait su faire les

31

bons choix. Au printemps 2014, quand les villes du Donbass tombaient comme des dominos aux mains des séparatistes prorusses, les chefs policiers et leurs troupes s'étaient pour la plupart réfugiés dans un attentisme prudent. Ils étaient peu enclins à se ranger aux ordres du nouveau pouvoir né de la révolution de Maïdan, mais il valait mieux attendre de voir qui l'emporterait. Certains s'étaient même jetés dans les bras des rebelles : par opportunisme, par choix, ou tout simplement parce que les oligarques locaux le leur ordonnaient.

Henrik, lui, avait dit non. Quand, au mois d'avril, les premiers barrages étaient apparus aux sorties d'Avdiïvka, il avait envoyé ses hommes les démanteler. Et quand les séparatistes avaient tout de même fini par s'installer, occupant le terrain laissé vacant par un État en déroute, il avait démissionné. Il se souvenait de ce jour d'avril où les vainqueurs avaient forcé la porte de son bureau, armés de bâtons, de barres de fer et, pour deux ou trois d'entre eux, de kalachnikovs. « Au nom du peuple », lui avaient-ils assené, il devait se soumettre et accepter le titre de « chef provisoire de la police populaire ». Henrik n'avait pu retenir un éclat de rire. « Au nom du peuple ! » Il connaissait parfaitement tous ces visages menaçants qui se tenaient face à lui. La lie de la ville, les petits délinquants, les chômeurs, les ratés, les alcooliques… Ceux qui étaient venus de Donetsk en renfort ne valaient guère mieux : des fanatiques du « monde russe » qui recevaient leurs ordres de Moscou. Ils avaient attendu leur heure pendant des années et croyaient désormais les temps messianiques arrivés. « Au nom du peuple »… Henrik avait pris ses affaires sans un mot et quitté son bureau. Il avait refusé de se soumettre à ces minables.

Le choix était risqué. Dans d'autres villes, des hommes politiques locaux, des fonctionnaires, de simples citoyens avaient disparu pour s'être opposés au nouveau pouvoir. On retrouvait parfois leurs corps dans des rivières. Henrik, lui, ne s'était pas opposé. Il était simplement rentré chez lui, s'était servi plusieurs verres de vodka et avait fait la sieste. Durant les trois mois qu'avait duré l'occupation séparatiste, jusqu'à la reprise de la ville par l'armée ukrainienne, il avait reçu des menaces, ses vitres avaient été brisées deux fois, mais rien de sérieux. Il avait attendu que l'orage passe.

— Henrik, je te sers autre chose, un remontant ?

— Si j'ai besoin de quelque chose, je te le dirai, grogna le policier.

L'idée de finir son petit déjeuner par une lampée de cognac lui titilla le ventre un instant. Il eut l'impression de sentir déjà la douce brûlure de l'alcool au fond de son estomac. Mais s'attarder dans l'atmosphère chargée du café lui était encore plus désagréable. Repenser à ses années de gloire aurait dû le mettre de bonne humeur ; cela l'accablait. Le gâchis de la région le dégoûtait, autant que celui de sa propre vie.

— C'est peut-être mieux comme ça, grommela la serveuse en s'éloignant.

Henrik ne releva pas. Nadia avait raison : ses sautes d'humeur ne faisaient pas bon ménage avec l'alcool. La bouteille semblait être la seule chose à même de le faire sortir de son apathie, mais c'était rarement pour le meilleur.

De ses exploits de 2014, Henrik avait gagné auprès de ses supérieurs et en ville une image de patriote indéfectible. On avait parlé de lui dans les journaux, il était un modèle : lui, le rejeton d'une mère d'origine allemande et d'un père géorgien, un pur enfant du Donbass industriel, avait choisi l'Ukraine quand celle-ci était en danger de mort. On avait été jusqu'à faire de lui un révolutionnaire de la première heure, un soutien de l'ombre de Maïdan. C'était là aussi un malentendu. Il s'était contenté d'observer de loin les manifestations de l'hiver 2013-2014, sans antipathie pour les jeunes manifestants enthousiastes de Kiev et les quelques courageux qui les avaient imités dans le Donbass, mais sans partager leurs espoirs de changement et leur foi en un avenir radieux. Il connaissait trop bien les politiciens ukrainiens et leurs magouilles pour croire qu'une énième révolution allait remuer les entrailles de la machine, chambouler les usages et la corruption gloutonne de Kiev. Vieux cynique, avait bien dit Nadia… Il avait aussi senti que la révolution ne prendrait pas à l'Est. Les gens du Donbass étaient trop ancrés dans leurs habitudes soviétiques pour être séduits par un quelconque discours d'« émancipation », comme on disait pompeusement à Kiev. Et même si ses meneurs s'en défendaient, la révolte de

Maïdan était aussi une révolution nationale, qui parlait plus au cœur des habitants de l'Ouest, volontiers nationalistes, qu'à ceux de l'Est.

À la table du fond, il y avait du mouvement. Les deux filles avaient migré du côté des soldats mais la situation semblait maintenant leur échapper. L'un des deux types avait passé son bras autour du cou de la plus jeune des deux et l'attirait à lui par des gestes secs, sa main retombant sur la poitrine de la fille. Celle-ci se débattait en pouffant, mais son rire sonnait faux, inquiet.

— Pétasse, tu viens nous chauffer et tu te débines, finit par lâcher le soldat d'une voix pâteuse.

Henrik fit mine de se lever puis il se laissa retomber lourdement. L'autre soldat le regardait d'un air mauvais. Rien que pour cela, Henrik aurait dû dégager ces deux pouilleux du Out, mais il se sentait lourd et empâté. Il avait déjà renoncé à jouer au héros avec le pauvre maraudeur attrapé par Balouga, il n'allait pas commencer pour ces deux pétasses. Oui, des pétasses, les soldats avaient raison. Qu'ils en fassent ce qu'ils veulent, Henrik s'en foutait. Et puis le maintien de l'ordre dans la soldatesque n'était pas son boulot : s'il se mêlait des affaires de la 72ᵉ, il ne récolterait que des emmerdes.

Henrik ricana de sa propre hypocrisie. En 2014, son «héroïsme» lui avait offert un sérieux joker. Quoi qu'il fasse, c'est-à-dire pas grand-chose, il était intouchable, et même s'il cassait la gueule à un soldat, les choses n'iraient pas bien loin. Dès 2015, on l'avait nommé colonel, sans toutefois changer ses attributions de chef de la police d'Avdiïvka. À 54 ans, cela n'avait rien d'un exploit. Avdiïvka était une ville modeste, avec sa population de trente-cinq mille habitants, réduite à vingt mille au fil des années de guerre. La commune n'avait jamais eu une place centrale dans le Donbass, coincée entre Gorlovka et Donetsk, la métropole régionale où Henrik avait commencé sa carrière. Comparée aux autres localités de la région, elle n'était pas trop sinistrée : ses immeubles lépreux paraissaient certes avoir survécu à une guerre chimique, mais ils ne s'écroulaient pas encore. La fermeture des mines avait été compensée par la bonne santé de l'usine de coke, la Sainte Mère nourricière de la ville. La criminalité s'y déployait paresseusement, d'une manière toute provinciale. Rien à voir avec les années d'enfer qu'il avait vécues à Donetsk. Henrik avait fini par prendre le pli de cette vie indolente. Il attendait. Sa prochaine affaire minable, sa prochaine saute d'humeur, la grande offensive des séparatistes ou celle des Ukrainiens. La retraite.

Le colonel se secoua et finit son café d'une traite. La visite du ministre faisait partie de cette routine désagréable qu'avait apportée la guerre, aussi implacable que les obus qui s'abattaient sans discontinuer sur la ville. Il laissa un pourboire à Nadia et sortit. Devant le commissariat, le jeune Volodia, la dernière recrue de son équipe, semblait l'attendre. À son approche, il se mit à faire de grands gestes un peu idiots avec les bras.

— Chef, on a trouvé un cadavre dans le quartier de la gare !

— La belle affaire, Volodia. Tu sais combien de cadavres ont été trouvés dans cette ville depuis trois ans ?

— Non, chef.

— Moi non plus, et tu sais pourquoi ?

— Non, chef.

Henrik s'interrompit pour regarder un instant le visage imberbe du garçon, parsemé de boutons d'acné disgracieux. À peine sorti de l'école, pas encore trop pourri.

— Parce que les cadavres ne sont pas de notre ressort, reprit-il sur un ton plus conciliant. En comptant seulement les civils, près de cent habitants de notre bonne ville d'Avdiïvka sont morts depuis 2014. Soufflés par des bombes, écrasés par les murs de leurs maisons, coupés en deux par des éclats, démembrés par des mines, fauchés par des balles perdues ou des tirs de snipers. Et tous ces morts, tous ces petits morceaux de cadavres, ce sont les militaires qui s'en occupent, ou bien le ministère des Situations d'urgence.

— C'est eux qui ont appelé, chef. Ils disent que celui-là est pour nous. Et puis il n'y a pas eu de bombardement sur le quartier de la gare depuis trois jours.

Henrik grogna, se sentant pris en défaut par la logique implacable du jeune agent. À vrai dire, il ne s'était rien passé de sérieux dans le quartier de la gare depuis près d'un an. Situé dans le nord-ouest de la ville, collé à l'usine de coke, le quartier n'était touché qu'exceptionnellement par les bombes. Les mouvements du front l'avaient mis à l'abri. En même temps qu'il révisait sa géographie militaire, Henrik se sentait gagné par une idée agréable. Si une affaire l'appelait, le ministre lui pardonnerait certainement de manquer une partie de la visite. Il monta sans un mot dans sa Mitsubishi et démarra.

Attribuer à la zone de friches industrielles qui s'étendait en contrebas de la gare le nom de «quartier» était flatteur. De rares immeubles décatis étaient plantés autour des terrains vagues et d'usines depuis longtemps désaffectées. La gare elle-même était à l'arrêt, semblable à une carcasse de dinosaure, inutile et abandonnée. Le dernier train était parti à l'hiver 2015 et Avdiïvka s'était transformée en bout du monde. Ou en souricière.

Henrik avait du mal à se repérer entre les bâtiments à moitié en ruine, mais il finit par apercevoir une petite foule de badauds entourant un camion du ministère des Situations d'urgence. Les agents l'accueillirent avec une mine perplexe. Il crut même voir une pâleur inhabituelle sur le visage de l'officier de service.

Le cadavre était étendu à l'extrémité d'un terrain vague, sa tête touchant presque le mur à demi détruit d'un ancien entrepôt. Il émergeait à moitié d'un petit monticule de neige. Vêtu seulement d'un maillot de corps relevé jusqu'à la poitrine et d'un slip qui ne cachait plus son petit sexe.

— Le dégel, fit une voix derrière Henrik, et le colonel ne put retenir un haut-le-cœur.

Le corps de l'enfant, allongé sur le dos, était encore en partie recouvert d'une mince couche de neige, mais on voyait distinctement les membres gelés écartés en croix, le bas-ventre sale de boue. Sur son visage et son cou, une fine couche de poussière noire, semblable à de la crasse. Difficile de dire s'il reposait là depuis longtemps ou s'il avait été enfoui seulement par les chutes de neige matinales. La neige avait aussi effacé d'éventuelles traces autour du corps. Henrik avait déjà vu, depuis le début de la guerre, des cadavres à moitié dénudés. Le plus souvent, les habits étaient simplement soufflés par l'explosion d'une bombe. Ou bien, quand un mort était traîné par les bras, il arrivait que son pantalon et son haut se défassent, laissant le milieu du corps comiquement exposé. Dans le cas du garçonnet étendu sous les yeux d'Henrik, rien de tel. Ses habits avaient bel et bien disparu, volatilisés. Un dernier élément balayait d'éventuels doutes : un poignard au manche de bois était planté jusqu'à la garde dans le ventre de l'enfant. Celui-ci était comme cloué au sol, ses bras diaphanes écartés. Comme un papillon épinglé dans le carnet d'un entomologiste, se dit Henrik. Un frêle papillon de nuit aux ailes pâles et fragiles.

L'identification de la victime s'était révélée aisée. Sacha Zourabov, 6 ans, habitait le quartier et plusieurs riverains le connaissaient. Assez peu, à vrai dire, car le garçon était arrivé à Avdiïvka seulement trois semaines plus tôt. Il habitait avec sa grand-mère dans l'un des immeubles à demi abandonnés qui bordaient le terrain vague. Personne ne l'avait jamais vu à l'école. L'endroit où il avait été trouvé correspondait peu ou prou au trajet menant du logement de la grand-mère au petit magasin de quartier où – les vendeuses l'avaient confirmé – sa vieille *babouchka* l'envoyait parfois reconstituer leurs maigres provisions de thé et de pommes de terre.

Faire parler la grand-mère avait été plus difficile. Isabella Tomtchinskaïa était à moitié sourde et sérieusement sénile. Henrik ne savait pas s'il devait attribuer ses longues absences, regard perdu dans le vide, à la sénilité ou au choc provoqué par la disparition du petit. La vieille était restée longtemps prostrée, avait pleuré puis s'était mise à raconter par bribes. Sacha habitait avec sa mère à Vodyane, un village situé à quelques kilomètres au sud d'Avdiïvka, tout près de la ligne de front. La vie y était encore plus dure, encore plus dangereuse, et on y survivait exclusivement de l'aide alimentaire. Trois semaines plus tôt, Alina, sa mère, avait conduit l'enfant chez sa grand-mère, promettant de venir le chercher après l'hiver. Le garçonnet avait disparu deux ou trois jours auparavant – la vieille Isabella était incapable de donner le jour précis – après être sorti tôt le matin sans donner d'explication. Isabella avait alerté sa voisine, tout aussi âgée qu'elle, et attendu.

— Vous n'avez pas prévenu la police ? lui avait demandé Henrik.

— Pour quoi faire ? avait répondu la vieille sans une once de malice ou de moquerie.

Le colonel était abasourdi, il l'aurait volontiers envoyée au trou méditer sur sa légèreté, mais en même temps comment ne pas la comprendre ? Pour une bonne part des habitants d'Avdiïvka, s'adresser à la police, même en cas de catastrophe, n'avait rien d'évident. Avant la guerre on ne pouvait déjà pas attendre grand-chose d'elle, alors maintenant… Aussi fou que cela puisse paraître, la nouvelle de la disparition de l'enfant était restée confinée aux deux appartements mitoyens occupés par Isabella et sa voisine.

Henrik se promit de passer le lendemain à Vodyane. Il n'y croyait pas vraiment, mais peut-être pourrait-il glaner quelque chose là-bas, ou au moins comprendre ce qui avait poussé la mère de Sacha à abandonner son fils en plein hiver dans une ville en guerre. À le confier à cette vieille à moitié démente. Une chose l'intriguait davantage encore. Il n'avait pas voulu retirer prématurément le couteau du ventre de l'enfant, mais l'objet réveillait en lui un lointain souvenir. Il avait demandé aux équipes techniques arrivées peu après sur les lieux de le ramener au commissariat avant de l'expédier au laboratoire de Kharkiv pour des prélèvements d'ADN et des recherches d'empreintes digitales. En attendant, les légistes auraient déterminé si, comme on pouvait le craindre, le petit avait été violé.

Il faisait à présent route vers le centre. Une boule lui nouait l'estomac, dont il n'avait pu se défaire depuis qu'il avait vu le petit papillon embroché. Il y avait plus que la seule horreur de cette vision macabre : sa ville n'avait tout simplement pas besoin de ce crime odieux. Déjà, avant de quitter les lieux, il avait senti un vent mauvais souffler dans son dos. Quelques habitants, des femmes surtout, chuchotaient en regardant le cadavre du petit. « C'est les soldats ! » avait-il entendu distinctement. « Il n'y a qu'eux pour faire ça », répondait-on sur un ton plus prudent à l'audacieuse grand-mère qui avait lancé les hostilités. Cela avait suffi. La petite foule s'était tendue, il avait même senti quelques regards venimeux se poser sur lui, « l'ami des Ukrainiens ».

Au printemps 2014, seule une minorité d'habitants avait d'emblée pris fait et cause pour les séparatistes. Avec les premiers succès et l'espoir de voir la Russie intervenir, beaucoup d'autres avaient suivi. La majorité ? Impossible à dire, mais les slogans séparatistes avaient séduit largement, appuyés par la propagande des chaînes de télévision russes que les habitants d'Avdiïvka regardaient en masse. On y dépeignait le nouveau pouvoir de Kiev soumis aux nazis de l'Ouest, vendu aux Américains. On racontait avec moult détails les atrocités qu'il commettait. Des fantasmes purs et simples, des contes de grand-mère qu'au désespoir d'Henrik ses concitoyens avaient avalés. Ces images de terreur venue de l'Ouest étaient entrées en collision avec leurs propres frustrations, leurs rancœurs et leurs défaites. Alors quand les déclassés de Donetsk et les agents russes en service commandé avaient sorti les premières kalachnikovs, les gens d'Avdiïvka avaient haussé les épaules. On verrait bien si ceux-là n'étaient pas meilleurs que les anciens. La guerre n'était alors pas une option envisageable.

Elle était pourtant bel et bien venue. On avait d'abord vu débarquer quelques unités de soldats crasseux, entassés sur des blindés hors d'âge. La fine fleur de l'armée ukrainienne, minée par vingt-cinq ans de corruption ! Les troupes n'avaient pas fait dix kilomètres, arrêtées par des rassemblements de grands-mères qui avaient pris les armes des soldats et les avaient renvoyés fissa, la queue entre les jambes. Mais des deux côtés, on avait insisté. Kiev avait expédié de nouvelles troupes, de nouveaux blindés, pendant que les rebelles, eux, commençaient à recevoir les leurs, généreusement livrés depuis la Russie voisine. Le génie de la guerre avait fait son œuvre petit à petit, avec méticulosité. On s'était d'abord battu à l'arme automatique, puis à l'arme lourde. Les victimes civiles avaient fini de braquer la population contre cette armée qui prétendait la défendre.

La sonnerie de son téléphone interrompit le colonel dans ses pensées. Il réalisa en regardant l'écran qu'il avait manqué une bonne dizaine d'appels.

— *Polkovnyk* Kavadze ! Où es-tu ? Le ministre t'a cherché toute la matinée !

Henrik faillit éclater de rire. Voilà que son supérieur, le général de police Sergueï Vassilkov, s'adressait à lui en ukrainien ! Un ukrainien certes hésitant, mais sans une faute. Maïdan avait décidément des pouvoirs insoupçonnés… Le général, qui n'avait parlé toute sa vie qu'en russe, jouait désormais au bon petit soldat de la nouvelle Ukraine.

Les deux hommes avaient commencé leur carrière ensemble, à Donetsk, et Vassilkov n'avait jamais été intéressé par un quelconque équilibre linguistique. Le seul équilibre qui l'intéressait était celui de son compte en banque, et le général s'était montré assez habile, au point de placer une bonne partie de sa fortune en Espagne. Vassilkov disposait d'une villa à Marbella et de comptes dans plusieurs banques espagnoles. C'est sans doute ce qui l'avait poussé à choisir le camp de Kiev, lui aussi : à quoi bon rester à Donetsk avec les séparatistes pour se retrouver piégé dans la région, probablement interdit de séjour sur le sol de l'Union européenne ? Adieu Marbella ? À la place, le général avait choisi de quitter Donetsk, s'installant avec toute l'administration régionale à Kramatorsk, à une centaine de kilomètres à l'arrière du front, ville qui faisait office de capitale régionale temporaire en attendant une hypothétique libération de Donetsk. On lui avait simplement imposé un nouvel adjoint, un homme jeune envoyé de Kiev pour convertir les culs-terreux de l'Est aux bienfaits de la transparence à la sauce Maïdan. Seulement, la force des coutumes locales avait apparemment pris le dessus. Le nouveau venu ne faisait pas de vagues et il avait rapidement abandonné sa Toyota pour une BMW de taille raisonnable.

— J'arrive, ne t'en fais pas. Je vais présenter mes hommages au ministre, poursuivit Henrik en ukrainien, sans que l'autre perçoive l'ironie qu'il y mettait.

— Pas la peine, il est déjà en route pour Kiev.

Vassilkov était repassé au russe : la partie officielle de leur conversation était donc terminée.

— Oh, il n'a donc fallu qu'une heure à Sa Grosseur pour résoudre les problèmes de notre bonne ville et faire cesser la guerre ?

— Garde tes sarcasmes, Henrik, cette visite de travail a donné des résultats très encourageants, très prometteurs... Bref ! Je te repose la question : où étais-tu ?

— Serioja, j'ai eu une urgence, répondit Henrik sur un ton plus grave.

— Je suis curieux, Henrik... Dis-moi quelle urgence est plus importante que la visite du ministre Azbakov ? Il a demandé après toi...

— Un meurtre, Serioja. Un enfant…

— Tu te fous de moi ? l'interrompit Vassilkov. Tu te souviens pourquoi le ministre a choisi précisément ton patelin pour sa visite ? Parce que ta misérable ville est la capitale européenne du meurtre. Les macchabées y pleuvent comme si le ciel les chiait, Henrik…

Le colonel n'était peut-être pas la délicatesse incarnée, mais la vulgarité du général l'exaspéra. Elle visait à créer une proximité qui, entre eux, n'avait jamais existé. Donetsk, 1994… Une guerre, une autre… Souterraine celle-là, entre gangs se disputant le contrôle de la ville, mais qui avait tout de même livré son lot de cadavres… Seulement, à cette époque-là, les deux flics n'étaient pas exactement du même côté du champ de bataille…

Et puis il repensait à son papillon aux ailes délicatement posées dans la neige. Personne ne l'avait chié, celui-là.

— Un enfant assassiné, Serioja ! 6 ans. Violé, peut-être, puis cloué au sol par un poignard. Une urgence de flic, Serioja… Tu te rappelles ce que c'est ?

Au silence à l'autre bout du fil, Henrik comprit que le général accusait le coup. Mais quand sa voix se fit à nouveau entendre, toute trace de doute avait disparu.

— Henrik, ton affaire pue. Chez nous, les macchabées se font dessouder à l'obus de 155, pas planter au couteau. Enfin, pas avant d'avoir atteint 15 ans, rectifia-t-il. Et figure-toi que je préfère ça ! Des choses claires et simples : les méchants, les gentils et, entre les deux, des pékins qui ne peuvent s'en prendre qu'à la malchance quand les bombes pleuvent dans leur potager. Qu'est-ce qu'il va se passer s'ils commencent à s'en prendre à quelqu'un d'autre ? Qui vont-ils blâmer, Henrik ?

— Serioja, tu te crois encore en Union soviétique ? Le crime n'existe pas dans le paradis prolétaire, c'est ça ? Ou s'il existe, c'est soit le fait de saboteurs capitalistes, soit celui de déséquilibrés… Tu me demandes de faire comme si mon macchabée n'existait pas, et dormez tranquilles, braves gens !

Henrik avait presque crié. Il en était le premier surpris, lui d'ordinaire d'une placidité à toute épreuve, presque maladive.

— Je ne te demande pas ça, Henrik, dit le général en adoptant un ton conciliant. Je te demande de ne pas faire de zèle, de ne pas t'agiter en conduisant ton petit 4×4 dans tous les coins, de ne pas effrayer le bon peuple. Ta victime… enfin sa famille… ce n'étaient pas de bons patriotes, par hasard ?

— Je n'en sais rien. Sa mère l'avait sorti de Vodyane pour l'installer à Avdiïvka. Ils étaient peu connus en ville.

— Tu parles d'une famille qui habite en première ligne, sous les bombes des séparatistes, et qui, au lieu de fuir, a le cran d'aller à Avdiïvka ? D'une famille qui refuse d'abandonner sa terre à l'ennemi ? J'appelle ça des patriotes, moi !

— Où veux-tu en venir, Serioja ?

— Ce n'est pas moi qui vais t'apprendre ton boulot, Henrik. Je dis simplement que parmi tous les traîtres et les cinglés séparatistes qui infectent notre bon Donbass, ce n'est pas étonnant que certains intoxiqués de la propagande passent à l'acte. Quoi de mieux qu'une action cruelle pour tenter de déstabiliser l'arrière ?

— Un gamin de 6 ans ?

— Je n'en sais rien, moi ! explosa le général. Et si ceux d'en face avaient envoyé en ville un groupe de saboteurs, des cinglés sortis de prison ? Tu sais qu'ils complotent en permanence contre nous, qu'ils veulent à tout prix que la guerre s'enlise pour ne pas perdre le soutien de Moscou…

— Non, Serioja, je ne sais pas ce qui se trame de l'autre côté. Ceux qui y vont ont trop peur de raconter et les précieux renseignements collectés par nos services sont conservés jalousement par Kiev. Là-bas aussi on s'y connaît en coups tordus !

— Garde tes supputations pour toi, Henrik. Elles sont dangereuses. Tout ce que je sais, c'est que le rejeton d'une famille de patriotes a été assassiné. Et que ça s'est passé sur ton territoire.

Les ficelles de Vassilkov étaient un peu grosses, et Henrik n'appréciait pas le cynisme de son supérieur, mais les craintes du général rejoignaient ses propres réflexions. Plus grand monde en ville ne croyait aux promesses des séparatistes. Les gens d'Avdiïvka avaient pu constater que le règne des prorusses sur les territoires qu'ils contrôlaient, à Donetsk et à Lougansk, virait au désastre. Tout ce qu'on désirait, désormais, c'était la paix. À tout prix.

Mais la méfiance était restée, la haine parfois, pour cette armée ukrainienne perçue comme une armée d'occupation. Peu parmi les habitants de sa ville souriaient aux soldats, avait noté Henrik, peu acceptaient dans leur présence un mal nécessaire. Pour les autres, tout ce qui arrivait de mauvais à Avdiïvka était de la faute de l'armée. Si les obus tombaient, ce n'était pas parce que les séparatistes, aussi peu soucieux que leurs adversaires de la précision de leurs tirs, les envoyaient, mais bien parce que ces maudits Ukrainiens avaient eu l'idée coupable de prendre là leurs quartiers… Alors si l'on se mettait à planter des couteaux dans les enfants d'Avdiïvka, le ressentiment n'allait pas tarder à se manifester.

Aussi n'avait-il pas dit un mot à ses troupes quand, de retour à son bureau, il avait pu étudier le couteau utilisé pour le meurtre. Soigneusement emballé dans un sac hermétique, l'objet était maculé de sang et de boue. Les agents avaient eu du mal à le retirer du corps de l'enfant : la lame l'avait transpercé de part en part et s'était fichée dans le sol dur et gelé. Cloué… Henrik comprit immédiatement le malaise qui l'avait saisi à sa vue, tout à l'heure dans le quartier de la gare. Trente ans plus tôt, il avait tenu dans ses mains un couteau semblable. À vrai dire, des millions de types à travers l'Union soviétique avaient fait de même. Le poignard faisait partie de l'attirail que l'on distribuait aux appelés au moment de leur incorporation dans l'armée. Les gars en étaient fous, ils les gardaient amoureusement après leur démobilisation. Lui, non.

Lui s'en était débarrassé dès son retour d'Afghanistan, quand il croyait encore possible de tout oublier, de tout effacer. C'était en 1987, en juin. Il l'avait échangé contre deux bouteilles de vodka à un jeune idiot amoureux de la chose militaire. Ce jour-là, ce jour-là seulement, il avait presque réussi à oublier.

Il ignorait si les soldats ukrainiens possédaient de tels poignards, mais l'exemplaire qu'il tenait en main était ancien, le bois du manche légèrement mangé et noirci. En attendant le résultat des analyses du laboratoire, cela l'avançait peu. Il pouvait y avoir des millions de poignards militaires semblables en circulation. Henrik alluma son ordinateur et commença son rapport : « Mercredi 14 mars 2018… » Il regarda le plafond, suivit un moment des yeux une fissure qui serpentait sur le plâtre écaillé, puis il éteignit la machine. Il alla voir Ioulia.

Contrairement à son habitude, il n'avait pas téléphoné, et il se tenait maintenant hésitant devant la porte de son amie, guettant les bruits qui s'échappaient de l'appartement. Henrik n'avait aucune prévention contre le travail de Ioulia, mais il préférait ne pas croiser l'un de ses clients.

Ce fut elle qui ouvrit la porte, brutalement, un couteau à la main.

— Pour un flic, tu es d'une discrétion remarquable, dit-elle en éclatant de rire.

— Ioul, pardonne-moi, je ne voulais pas te déranger.

— Mais tu avais quand même un besoin impérieux de me voir… Entre !

À lui seul, l'appartement de Ioulia suffisait à calmer Henrik. Un appartement soviétique des plus classiques, avec ses murs décrépis, le canapé de velours marron trônant au milieu du salon, les tuyaux rouillés dans la cuisine. Mais une impression rassurante se dégageait de l'ensemble, mélange de coquetterie sans prétention et de délicatesse toute féminine. Seul le grand lit recouvert d'étoffe rouge criarde le gênait, faute de goût et rappel trop évident de son activité.

— L'eau est en train de bouillir. Installe-toi, je prépare du thé.

Henrik avait rencontré Ioulia deux ans auparavant. Une histoire bête d'auto-stop. La fille était séduisante, vive, et même un peu aguicheuse. Quand il avait voulu aller plus loin, elle lui avait dit qu'elle se prostituait. Il avait payé.

Plus tard, elle avait raconté une histoire compliquée de petit ami violent et de projets d'épicerie bio. Cela faisait deux ans et Ioulia n'avait toujours pas décroché. Les projets semblaient s'être perdus en route. Elle se contentait parfois de dire, énigmatique : « Il faudra bien que nous partions un jour. »

Quelques mois auparavant, vers la fin de l'été, elle avait parlé de son travail. Elle détestait sentir sur elle les mains de ses clients, aussi bien les brutaux, les sales, les tordus, que les gentils, les doux ou les bienveillants. Et pourtant elle ne parvenait pas à leur en vouloir. Elle accueillait chacun d'eux avec la même générosité, comme si elle était leur dernier refuge. « Je n'ai jamais raconté cela à personne », avait-elle conclu en riant, tournant la tête pour ne pas qu'il voie une larme qui coulait sur sa joue. Ce jour-là, elle lui avait demandé d'arrêter de la payer.

— Ioul, est-ce que tu as déjà vu des soldats traîner dans le quartier de la gare ? demanda Henrik en haussant la voix pour qu'elle l'entende depuis la cuisine.

Ioulia était plus précieuse qu'un bataillon d'indics. Pas seulement parce que les hommes qui venaient la voir avaient tendance à s'épancher sur son épaule, mais aussi parce qu'elle circulait beaucoup en ville. Ses clients les plus soucieux de discrétion la faisaient ainsi venir jusqu'à leur domicile. Les prix étaient alors plus élevés, et ils devaient régler en supplément la course de Vartang, un Géorgien qui faisait son taxi.

— Ça m'est déjà arrivé, dit-elle en entrant dans le salon, une théière dans une main et une assiette de biscuits dans l'autre. Là-bas les épicières ne sont pas regardantes sur l'interdiction de vendre de l'alcool, alors les soldats se passent le mot et ceux qui ont une journée de permission viennent tuer le temps. Ils savent qu'ils n'ont pas intérêt à se faire remarquer, ils sont doux comme des agneaux. Il n'y a que les artilleurs pour être un peu plus agités, mais ça doit être à force de passer leur temps à guetter le moindre boum et de vivre dans le bruit des explosions. Ceux-là non plus ne feraient pas de mal à une mouche.

La bienveillance absolue que Ioulia exprimait pour tout être vivant, depuis le dernier des cafards jusqu'au premier des généraux, ne cessait d'étonner Henrik. C'était même, pensait-il, la principale raison de l'affection qu'il ressentait pour elle. Ça, et la vitalité qu'exprimait chacun de ses gestes. La jeune femme ne payait pas de mine, avec son corps menu, ses petits seins, ses cheveux bruns coupés à la garçonne et ses yeux perpétuellement étonnés, mais chaque homme qui l'approchait semblait tomber sous son charme, condamné à attendre ses sourires comme des offrandes.

L'entendre énumérer d'une voix sûre les qualités

et les défauts des différentes unités déployées dans sa ville natale crevait le cœur d'Henrik.

— Ioulia, pourquoi tu ne pars pas de cet endroit de cinglés ? Pars ! N'importe où tu seras une princesse. Va à Kiev, va là-bas ouvrir ton magasin bio. Tu l'appelleras «Les Grenades du Donbass» et ça te rappellera la maison. Va à New York, à Buenos Aires… Tu vas te salir ici…

La jeune femme s'immobilisa au milieu de la pièce.

— Tu crois que les gens sont moins sales ailleurs ? Tu crois que j'ai peur de la boue sur mes chaussures ? que j'ai peur des bombes ? Ce n'est pas pour moi que j'ai peur. Ici, les gens sont vivants. La guerre les a mis à nu, on voit tout de suite ceux qui sont bons et ceux qui sont mauvais. Et ceux qui sont bons me donnent une furieuse envie de rester. À Kiev, la guerre est lointaine. Je me sentirais orpheline sans elle. Elle m'a déjà avalée, elle a fait de moi ce que je suis, ce que tu aimes, peut-être. Il n'y a pas d'échappatoire, de toute façon. Il n'y a pas de route pour sortir de tout ça. Pas encore… Nous sommes tous cloués ici, cloués par les obus qui nous attachent au sol. Cloués comme… comme…

— Comme des papillons à un carnet, interrompit sombrement Henrik.

— Voilà, c'est ça. Toi aussi, tu es cloué, Henrik.

Il n'y avait rien à répondre à cela. Oui, il était bien cloué à Avdiïvka, à ce potager où il n'avait encore rien planté, incapable d'imaginer une vie nouvelle, un ailleurs qui aurait pu paraître séduisant. Il comprenait trop bien ce que la jeune femme disait de la guerre. Quand il était rentré d'Afghanistan, il lui avait fallu plusieurs années pour ne plus ressentir la fadeur de la vie civile. Là-bas, à la guerre, tout était plus éclatant, les sentiments, les joies, les peines, la mort… Même l'horreur. C'est pour cela qu'il s'était engagé dans la police, pour tenter de retrouver un peu de cette lumière crue qui exacerbait chaque sensation. Mais elle ! Elle, une jeune femme de guère plus de 25 ans à qui la vie aurait dû sourire. Une famille, Ioulia ! Fonde une famille et sois heureuse, eut-il envie de crier, mais il se tut en songeant au désastre de sa propre famille.

Henrik était rentré tard chez lui. Il avait conduit au hasard dans les rues désertes et noires d'Avdiïvka. Ce soir-là, les canons se taisaient et le silence de la nuit l'apaisait. Son cerveau était vide, capable de se concentrer seulement sur les redoutables nids-de-poule qui auraient déchenillé un char. Parfois, les visiteurs étrangers jetaient un regard désolé sur les routes défoncées de la région, sur les bâtiments écroulés. C'est la guerre ? demandaient-ils avec compassion. Non, mon pote, ça, c'est le Donbass ! Ça, c'est notre belle Ukraine, incapable d'offrir des routes en bon état à ses enfants, qui ont pourtant la sagesse de ne pas lui réclamer beaucoup plus.

Ils avaient fait l'amour et, comme à chaque fois, il en gardait une pointe d'amertume. Ioulia n'était plus pour lui une pute, mais elle avait conservé sa façon mécanique et distante de se donner. Pour rien au monde il ne lui en aurait fait la remarque. Le simple fait qu'elle accepte son grand corps osseux était déjà si étonnant pour lui, si incongru, qu'il n'aurait pas voulu mettre en péril ce fragile équilibre. Lui-même, sans doute, n'était pas un foudre de guerre...

Parmi ses mille petits défauts et presque autant de secrets, il n'y en avait guère que deux qui faisaient honte à Antonina Gribounova : la boisson et une insatiable curiosité. Malgré l'heure matinale, la vieille femme n'avait pu résister au plaisir de se verser un petit verre de cherry. Pas une eau-de-vie à la cerise distillée par un paysan du Donbass, non, un vrai cherry, fabriqué en Amérique, une bouteille pleine de jolies couleurs qu'elle avait achetée dans un magasin du centre. La bouteille représentait bien le tiers de sa retraite, mais l'argent était un autre des petits secrets d'Antonina. Elle contemplait le verre bien dessiné, sa bordure supérieure dorée, le reflet du liquide rouge sur les parois. Le soleil était éclatant, l'air pas trop froid et, surtout, les armes se taisaient. On entendait bien au loin la canonnade, mais son bruit arrivait comme assourdi, incapable de troubler l'atmosphère paisible. Vassili dormait sur le canapé, une expression de rare sérénité sur le visage.

Antonina aurait pu passer la matinée ainsi, à contempler alternativement son verre et le four où une tarte garnie de bonne viande finissait de cuire. Mais elle ne tenait pas en place. La nouvelle du meurtre du petit garçon de la zone industrielle s'était propagée rapidement dans le Vieil-Avdiïvka. Elle avait frappé aux portes des maisons basses les unes après les autres, laissant derrière elle une traînée d'affliction. Depuis la veille, dans tout le village, on chuchotait, on parlait avec gravité. Antonina avait appris la nouvelle en allant acheter son lait au marché et, désormais, le choc passé, elle brûlait d'en savoir plus. En réalité, pensa-t-elle avec un soupçon de honte, ce qu'elle souhaitait plus que tout, c'était s'assurer que personne, parmi ses voisines et amies, n'en savait plus qu'elle. C'était une excellente raison pour entreprendre son habituelle tournée de voisinage. Encore quelques minutes et la tarte serait prête.

Elle s'illusionnait, réalisa-t-elle soudain. Que pouvaient bien savoir ces vieilles isolées qui habitaient autour de chez elle ? C'est Henrik qu'il lui aurait fallu voir, mais elle n'oserait pas le déranger pour l'interroger. Les autres habitaient seules et ne voyaient personne, elles n'avaient pas même de famille qui puisse être à l'affût des derniers ragots.

À cette pensée, Antonina Gribounova eut un sourire triste. Elle-même, quelle famille avait-elle ? Depuis combien de temps n'avait-elle pas vu sa fille ? Oksana habitait à moins de vingt kilomètres, dans la banlieue est de Donetsk. Une broutille, avant la guerre, une grosse demi-heure en voiture. Le trajet prenait désormais jusqu'à six heures, en comptant le détour imposé par la ligne de front et la queue interminable aux check-points entre l'Ukraine et les territoires séparatistes. Rien d'insurmontable, mais sa fille s'était apparemment découragée. Dans les débuts de la guerre, elle venait tous les mois. Régulièrement, elle essayait de convaincre Antonina de repartir avec elle. La vieille ne voulait pas quitter sa maison, et les visites d'Oksana s'étaient espacées. Comment vivait-elle là-bas ? Au téléphone, sa fille était évasive, elle se plaignait que les prix augmentaient, mais, disait-elle, son mari avait trouvé un nouveau travail chez les séparatistes. Soldat ? Antonina en frissonnait. Elle ignorait tout de la vie à Donetsk. Les chaînes de télévision russes que la vieille regardait assuraient que les habitants des « républiques populaires » de Donetsk et de Lougansk baignaient dans la félicité, que l'ordre régnait à nouveau dans leurs villes, mais elles ne montraient que des images de bombardements et de familles réfugiées dans des caves. Côté ukrainien, on ne s'intéressait plus depuis longtemps à la façon dont vivaient les civils du camp d'en face. Il n'y en avait que pour les opérations militaires et les comptes rendus d'attaques séparatistes héroïquement repoussées. Les habitants du Donbass avaient disparu du paysage.

Finalement, cela arrangeait Antonina de rendre la guerre responsable de la dislocation de sa famille. Les choses se seraient-elles passées autrement si celle-ci n'était pas arrivée ? N'était-ce pas le destin des enfants d'abandonner un jour leurs vieux parents à leur sort ? N'était-ce pas là le stade suprême du développement et de la modernité auxquels l'Ukraine aspirait? La vieille femme ressentit le besoin impérieux d'étreindre Vassili dans son sommeil, mais elle se retint. Il ne fallait surtout pas. Pas s'habituer, pas se laisser aller. Elle prit la tarte dans le four, enfila ses chaussons et sortit dans la rue.

Sa tournée, d'ordinaire joyeuse, lui inspirait une profonde tristesse. Il y avait bien sûr cet enfant qu'on avait retrouvé mort, mais ce n'était pas tout. Ses amies, ses voisines à qui elle distribuait ses parts de tarte avec un bon sourire, qui étaient-elles? Des vieilles inutiles, comme elle, que seuls la gourmandise ou un verre de cherry raccrochaient encore à la vie. Varvara Efremenko, qui habitait une maison de bois branlante qu'on aurait dit construite avant 1917, s'était confondue en remerciements en avalant sa tarte à la viande, mais c'était de paroles qu'elle était avide, elle aussi. Elle semblait tout ignorer du drame qui avait frappé Avdiïvka et avait interrogé Antonina avec voracité sur les rumeurs habituelles, les on-dit qui faisaient le quotidien de la guerre: «Antonina Vladimirovna, c'est vrai que les nôtres préparent une grande offensive pour libérer la région?» Antonina n'avait aucune idée de qui, dans l'esprit de sa voisine, pouvait bien être «les nôtres», et elle jugeait préférable de ne pas le demander. «Antonina Vladimirovna, c'est vrai que le prix du pain va augmenter?» «C'est vrai que les soldats ont tué une petite fille?» avait-elle fini par demander quand elle s'était rappelé qu'une nouvelle vraiment extraordinaire méritait son attention.

Antonina était repartie avec un bocal rempli de champignons marinés.

Chez Raïssa Bogarevitch, elle avait avalé quelques biscuits et écouté la vieille se plaindre des bombardements. Il faut dire que celle-ci avait été malchanceuse : blessée à la hanche par un éclat d'obus en 2015, elle avait dû renoncer à son potager ; et, deux mois plus tôt, une bombe avait atterri en plein sur sa cuisine, réduisant à l'état de poussière son maigre mobilier et ses réserves. La vieille s'était réveillée en pleine hystérie, cette nuit-là, et avait trouvé refuge chez Antonina Gribounova. Celle-ci lui gardait toujours les meilleures parts des plats qu'elle cuisinait.

Pavla Zayenko, Olga Ivanova... Antonina poursuivait sa tournée en sentant croître son vague à l'âme. Elle avait abandonné toute ambition d'apprendre quelque chose, mais l'impatience joyeuse avec laquelle les vieilles attendaient sa visite ne suffisait pas à l'apaiser. Ces vieilles femmes qui trompaient la mort en croquant de grosses parts de tarte avec leurs dernières dents accentuaient sa peine. Malgré leur enthousiasme un peu enfantin, malgré leur obstination à préserver dans la guerre l'illusion d'une vie normale. Elles étaient des survivantes. Le quartier était rempli de ces veuves impassibles. Le pays pouvait bien s'étriper, elles continueraient à fabriquer des confitures et à mariner des champignons. Leurs maris s'étaient agités toute leur vie, puis leurs cœurs avaient lâché, fatigués de tant donner à des corps trop massifs, à des vies trop brutales. Elles, elles restaient.

Elles vivaient quinze ans, vingt ans de plus que leurs hommes. Et pendant vingt ans, elles enfilaient chaque jour les mêmes chaussons, les mêmes robes de chambre. Elles accomplissaient consciencieusement la routine de leurs petites vies. Elles y déployaient même une force surprenante. Peu leur importait de vivre en Union soviétique, en Russie, en Ukraine, elles avaient tout connu et tout était égal. Seul importait que leurs petits-enfants ne voient pas les horreurs qu'elles avaient vues. La Guerre, la vraie. Les purges de Staline. Elles se plaignaient pour la forme, mais elles savaient qu'elles n'avaient rien le droit de réclamer. Rien de plus qu'une part de bonne tarte et, pour les plus chanceuses, le baiser d'un petit-fils sur leurs joues duveteuses. Ou à défaut un petit verre de cherry... Le Donbass était rempli de ces veuves. Le pays entier ! Et pareil dans la Russie voisine. Là aussi on pouvait conduire des heures et ne croiser que des villages peuplés uniquement de vieilles femmes besogneuses. Un empilement de veuves ! Des strates de veuves abandonnées par le temps. Veuves de soldats. Veuves d'ouvriers. Veuves d'alcooliques. Ce n'est pas tant que les familles ne s'en occupaient pas. Au contraire, elles s'en occupaient plutôt mieux et plus qu'ailleurs, mais la vie les avait dispersées. Bien souvent, les fils avaient atteint l'âge de la mort avant leur mère : 45 ans, accident de voiture ! 50 ans, cirrhose ! 55 ans, arrêt du cœur ! Ils buvaient. Mouraient. Laissaient seule leur chère maman. Les filles, elles, faisaient ce qu'elles pouvaient, mais elles devaient partir. Quitter le village. Trouver un mari, un emploi. Ailleurs, à la ville. Sinon, elles deviendraient à leur tour des vieilles esseulées. Des veuves.

Loussia Fedorovna Louzovitch ne répondait pas aux coups frappés à sa porte. Ses volets étaient fermés, comme à l'accoutumée, mais Antonina insista. D'habitude, sa tournée ne la conduisait pas jusque chez Loussia Louzovitch. Sa maison n'était pas si loin, oh non, à peine cent mètres, mais la vieille Loussia l'intimidait. Trop sèche, trop grise. Trop triste, finit par s'avouer Antonina. Son malheur était un repoussoir. Les autres vieilles s'habillaient de couleurs vives, s'efforçaient d'engraisser pour tromper la mort et le froid. Loussia Louzovitch, non. Son corps était sec, son visage aussi gris que ses tenues. Antonina toqua encore. C'est précisément ce malheur qu'elle venait chercher ce matin-là. Si quelqu'un pouvait comprendre quelque chose à ce qui s'était passé, c'était bien la triste Loussia. Un rideau bougea légèrement à une fenêtre, la porte s'ouvrit.

— Bonjour, ma chère Loussia Fedorovna. Je ne viens pas souvent vous voir, mais j'ai voulu profiter du beau temps pour vous apporter une petite part de tarte. Il faut s'entraider, n'est-ce pas. (Antonina aurait voulu ajouter « ma colombe », mais les mots ne venaient pas.) À la viande, dit-elle à la place, comme si cela devait justifier son intrusion.

— Vous êtes bien aimable, ma chère, dit Loussia Louzovitch en forçant un sourire. Entrez, montrez-moi donc cette merveille.

Loussia Louzovitch ne sortait pour ainsi dire jamais de chez elle et ne recevait aucun visiteur. Antonina sentit une pointe d'excitation à l'idée de pénétrer dans ce logement. Elle le raconterait à ses amies dès le matin suivant. La chambre était fermée, mais le tout petit salon sur lequel donnait la porte d'entrée était propre, bien agencé. Sans rien de superflu, se dit Antonina, pas même une plante posée sur le rebord de la fenêtre. Deux chaises en aluminium, un canapé pliant défraîchi, des rideaux sombres qui laissaient à peine passer un rai de lumière, un petit évier propre. Et un poêle qui diffusait une chaleur étonnamment forte.

— Vous chauffez, chère Loussia Fedorovna ? s'étonna Antonina Gribounova, après avoir posé le reste de tarte sur une table en plastique recouverte d'une nappe dont les fleurs imprimées semblaient avoir fané depuis un siècle. Vous êtes bien la seule parmi nous à ne pas économiser votre charbon !

— Je suis frileuse, vous savez. Mon petit Aliocha l'est aussi. Je préfère chauffer.

Antonina marqua un temps d'arrêt. Le malheur n'avait pas tardé à surgir, il envahissait à présent la pièce. Il prenait les traits d'un enfant mort trente ans plus tôt dont sa mère parlait encore au présent.

— Aliocha… Alexeï ? votre fils ?

— Oui, il était très frileux, comme moi. Je préfère chauffer.

La vieille était repassée au passé, mais Antonina Gribounova avait eu le temps de comprendre le peu qu'il y avait à comprendre : le malheur qui frappait Avdiïvka était certes moins total que celui de la vieille Loussia, condamnée à vivre dans le souvenir de son enfant disparu, mais elle comprenait que la ville ne se remettrait jamais tout à fait de la mort brutale de l'un de ses fils.

Loussia Louzovitch eut un léger sourire qui dévoila des dents grises et pointues. Elle voulait sans doute se montrer affectueuse avec son hôte, mais Antonina sentit son sang se glacer. Ce fut d'une voix timide de petite fille qu'elle demanda :

— Vous avez entendu parler de ce meurtre affreux ?

Elle s'en voulut immédiatement. De quel droit apportait-elle à cette mère éplorée autre chose qu'un morceau de sa tarte à la viande ? L'autre ne réagit qu'à peine, un rictus se dessina au coin de sa bouche.

— J'en ai entendu parler, c'est un grand malheur, répondit-elle mécaniquement, comme si le sort du petit Sacha Zourabov était la dernière de ses préoccupations.

Les deux femmes se turent.

Dehors, les explosions se rapprochaient. Cela devait tomber sur les ruines de l'ancienne usine de céramique, l'une des positions tenues par l'armée ukrainienne dans la vieille ville. Un choc plus violent fit trembler les vitres et les deux verres posés sur la table. Antonina aurait voulu rester droite et souriante sur son siège, mais elle rentra imperceptiblement les épaules. Jamais elle ne pourrait s'habituer. Elle était

66

capable d'accomplir sous les bombes tous les gestes du quotidien, de mener une vie en apparence normale, mais à chaque explosion un peu proche, elle ne pouvait s'empêcher de se voir écrasée par un obus, brûlée, découpée par un éclat. En face d'elle, Loussia Louzovitch s'était figée une demi-seconde. L'instant d'après, elle tendait la main pour attraper un autre morceau de tarte.

— Je ferais mieux d'aller voir si tout va bien chez moi, dit Antonina Gribounova en se levant.

En sortant, elle ne prit pas la direction de sa maison mais marcha de son pas lent vers le petit pont qui enjambait la voie ferrée et marquait la jonction avec le Nouvel-Avdiïvka. Elle avait de l'argent à récupérer, aujourd'hui.

Les bombardements avaient tiré Henrik d'un sommeil profond. Le colonel avait dormi tard et même s'il aurait dû se mettre à son enquête avec plus d'entrain, il restait pour l'instant bien au chaud sous la protection illusoire de la couverture, faisant machinalement le compte des obus « entrants » et « sortants », essayant de deviner où ils tombaient. Rien que du classique, d'après son évaluation : les positions ukrainiennes de Zenit et de la zone industrielle tiraient au mortier sur Yasinouvata et Spartak, qui leur répondaient également au mortier. À ce roulement régulier se mêlaient quelques détonations d'armes automatiques et le bruit plus lointain d'explosions plus au sud, probablement dans la zone d'Opytne, où il devait se rendre. Quant à savoir qui avait commencé, c'était une autre histoire, et même les observateurs étrangers de l'OSCE se gardaient de tirer de telles conclusions. Un obus tiré sur Avdiïvka pouvait être la réponse à un tir de mitrailleuse ukrainien ou à une roquette tirée une heure plus tôt depuis une autre portion du front. À quoi bon, dès lors, accuser les uns ou les autres pour finalement se fâcher avec leurs employeurs occidentaux ou russes qui finançaient leur mission ? Au lieu de cela, tout le monde continuait à parler de « cessez-le-feu fragile », passant par pertes et profits le million de personnes qui, selon les décomptes officiels, habitaient à moins de cinq kilomètres de part et d'autre de la ligne de front. La poursuite de ce conflit larvé convenait aussi bien à Kiev qu'aux rebelles et à leur parrain moscovite. Tant que le nombre de morts restait limité, personne n'était prêt à des concessions. Et les Occidentaux pouvaient oublier cette demi-guerre sur laquelle ils n'avaient aucune prise.

Anna s'activait déjà dans la maison. Henrik l'entendait passer d'une pièce à l'autre, déplaçant les meubles, rangeant de la vaisselle. Ce déchaînement domestique était sa façon à elle de lui adresser des reproches. Quand il était rentré, la veille, il avait été soulagé de la trouver endormie. Mais les récriminations qu'elle n'avait pas pu lui adresser s'épanouissaient à présent dans cette agitation fébrile et bruyante. Manque de chance, le bruit de l'aspirateur était sérieusement concurrencé par celui des canons.

— Henrik, je ne te demande aucun compte sur tes activités, mais je m'inquiète quand tu n'es pas là, finit-elle par dire en entrant dans la chambre. Je m'inquiète pour toi, je m'inquiète pour moi. Je ne veux pas être seule à la maison quand un obus y tombera.

Henrik gardait le silence. Sa femme prit cela comme un encouragement à poursuivre. Elle s'assit sur le rebord du lit et baissa les yeux. Henrik se rendit compte qu'il ne l'avait pas regardée d'aussi près depuis longtemps. Ses traits étaient tirés et ses yeux cernés. Elle avait vieilli. Les rides qui s'étiraient aux coins de ses yeux n'allaient pas tarder à rejoindre celles qui commençaient aux commissures de sa bouche. Ces rides qu'il trouvait si charmantes, dans le temps.

— J'ai l'air normale, tu ne m'entends pas me plaindre. Mais je me réveille chaque matin avec les mâchoires douloureuses à force de serrer les dents. J'ai des courbatures en permanence, les muscles de mon corps sont tendus à en exploser. Et toi, tu ne vois rien, tu es calme, affable, tu aides les voisins... Mais ta femme, Henrik ? Depuis combien de temps as-tu décidé que ta femme pourrait s'en sortir seule quand un obus tombera sur la cuisine ? En réalité, un obus, ça va. On s'habitue à tout. On sursaute et ça passe. Tu sais ce qui me rend folle quand j'entends une explosion ? La certitude de savoir qu'il y en aura une autre, puis une autre. Ce n'est pas l'obus qu'on entend tomber qui nous tue. C'est celui d'après, celui qui va arriver ensuite...

Cela faisait des semaines qu'Anna ne lui avait pas adressé la parole avec autant de sincérité et d'angoisse. Henrik se sentait désarmé. Il aurait voulu la prendre dans ses bras, il savait que c'était la seule chose qui pouvait l'apaiser, mais il ne réussit qu'à poser une main pitoyable sur le bras de sa femme. Sans doute l'aimait-il encore, au nom des années passées ensemble, au nom de la fille qu'ils avaient eue et qui n'était plus, mais c'étaient précisément ces années et le lot de malheurs qu'elles avaient apporté qui avaient anesthésié leurs relations. L'un et l'autre semblaient s'en contenter. Ils étaient de bons partenaires, rien de plus, capables de prendre ensemble les décisions qui comptaient.

Sa femme lui souriait, à présent. Il aurait voulu lui dire qu'elle était encore belle, *malgré tout*, et il savait qu'elle ne se serait pas formalisée de cette précision. Il n'y avait pas de place entre eux pour les faux-semblants, seulement des silences trop longs.

— Anna, cela fait bien trois mois que les obus ne tombent plus chez nous. Je sais que le bruit est effrayant, mais les tirs les plus proches sont à cinq cents mètres, et encore, ce n'est pas fréquent.

Ce fut tout ce qu'il réussit à dire. De la pure rationalité. Et encore, bancale. Lui qui l'était si peu, rationnel, devenait avec sa femme le plus logique des hommes. Arguments imparables, discussion impossible. Un flic.

Dans la rue, le colonel croisa deux gosses qui allaient à l'école. Frères, sans doute, des cartables trop gros pour eux comme tous les écoliers du monde. À première vue, « normaux », eux aussi. Ils ne se jetaient pas au sol à la moindre explosion, comme dans les premiers mois de la guerre, ils ne criaient pas, ne couraient pas. Les déflagrations, pourtant, étaient proches. Leur roulement fracassant écrasait les tympans avant de se répandre dans tout le corps, laissant les genoux flageolants et la cage thoracique oppressée, comprimée à en couper le souffle. Que ressentaient-ils, ces corps pas encore formés ? Henrik avait l'impression de voir leurs os trembler à travers la peau pâle. « Bonjour », se contentèrent-ils de dire en passant. Henrik remarqua tout de même leur corps un peu tassé et leur pas trop rapide. Ils correspondaient en tous points au tableau que lui avait dressé Anna : mâchoires serrées, dos voûté, muscles contractés…

Les gamins aussi avaient assimilé la routine de la guerre. À l'école, la Croix-Rouge dispensait des formations sur les obus et les mines. « Les enfants, quand on voit un bout de métal par terre, que fait-on ? — On n'y touche pas et on appelle un adulte », répondaient-ils en chœur pour faire plaisir au formateur. En réalité, ils savaient tout cela depuis longtemps, et bien plus. Le danger et le nom des armes qui remplissaient leur quotidien, le bruit qu'elles faisaient, la meilleure façon de les utiliser… Dans une classe de trente, combien avaient perdu un proche ? Henrik fit le compte des habitants de sa propre rue, pourtant pas la plus exposée. Deux petites vieilles étaient mortes en septembre 2014 alors qu'elles prenaient le thé à la cuisine, le jour de la signature du premier cessez-le-feu à Minsk. Il y avait eu, plus tard, le vieux Vitali, amputé des deux jambes. Et son fils, qui avait reçu un éclat dans la nuque et en était devenu gâteux avant l'âge. Le petit Vadim, fauché par un éclat brûlant dans la cour de son école… Il avait 7 ans, plus personne n'avait de nouvelles de ses parents. Trois autres étaient morts en 2016 et en 2017, les « années creuses » durant lesquelles la guerre avait cessé de faire les gros titres.

Depuis le début de l'année 2018, la mort n'avait pas encore frappé. Elle rôdait et réclamait son dû ailleurs. Il y avait aussi la vache de la vieille Evrossima, le chien de Vlado, l'ancien cheminot… Tous ceux des autres rues, des autres villes… Et ceux « d'en face », de Donetsk ou de Gorlovka, que les obus ukrainiens fauchaient sûrement avec la même frénésie.

Aurait-il laissé Lena affronter un tel enfer ? La question n'avait pas beaucoup de sens : leur fille aurait eu 24 ans au début de la guerre. Elle serait déjà partie, d'elle-même. Elle aurait été douée, Henrik n'en doutait pas, elle serait allée à l'université, aurait trouvé un emploi prestigieux. Ailleurs. Qui avait envie de rester dans un trou comme Avdiïvka ? Sortir au café Out, traîner avec les soldats ? Peut-être auraient-ils eu d'autres enfants si l'accident n'était pas arrivé… Aurait-il accepté qu'ils grandissent ici, avec la guerre pour matrone ? Anna ne l'aurait pas permis. Lui se serait plié à la volonté de sa femme, ils seraient partis. Que serait-il devenu ? Flic ? Qui avait besoin de lui hors de son Donbass ? Il aurait été un réfugié, rien de plus. Un alcoolique et un paumé, un déraciné sans argent ni avenir. Il comprenait ceux qui restaient, qui refusaient de quitter leur terre, les quatre murs patiemment bâtis. Il n'était pas différent d'eux. Ailleurs, il n'avait rien, il n'était rien. Il songea à la femme à laquelle il s'apprêtait à rendre visite à Vodyane, la mère du petit Sacha. Que lui restait-il, à elle ?

D'une oreille, Ioulia écoutait Dr. Dre, et de l'autre le flot ininterrompu des paroles de Mike.

— Tu vois, Ioul, j'avais rendez-vous avec ce type de Dnipro qui devait me vendre des Adidas. *Everywhere I go…* Le mec arrive, beau gosse, souriant, fringues de marque. Tout se passe bien, on fait l'affaire tranquille. *All I ever seem to hear is…* Je te les ai montrées, Ioul, les baskets ? *Bang! Bang!* Là, il m'explique qu'il est dans un plan avec des mecs de Rostov, les gars sont des rappeurs, les meilleurs de Russie, il dit. Moi, j'aime bien le rap de Rostov, mais je peux pas laisser dire que Rostov, c'est les meilleurs. Ça fait bien cinq ans que les mecs de l'Oural ont pris le *lead*, tu vois. Le *game*, c'est eux maintenant. Rostov, c'est dépassé. L'autre, avec sa tête de ravi, il en démord pas, Rostov, c'est ses potes, tout ça. Bref, le ton monte, le gars commence à m'embrouiller. Là-dessus, Marko arrive… Ioul, tu m'écoutes ?

— Hum, marmonna la jeune femme en s'enfonçant un peu plus dans le canapé.

Elle tira une longue bouffée du pétard, avant de le tendre à Mike, comme pour lui signifier de se taire. Elle attrapa un coussin et le cala sur son ventre, assommée par la drogue autant que par le débit de mitraillette du jeune homme. Bien.

— Mike, pourquoi on t'appelle Mike ?

— Un truc de gamins. Tu vois le Parrain ? Michael Corleone ? Mes potes de Donetsk trouvaient que je lui ressemblais. Tu sais, le côté discret, sûr de lui, enjôleur…

Ioulia rigola. Elle avait du mal à imaginer Mike dans le rôle ! Maigre comme un rail de chemin de fer, survolté, toujours en mouvement, il aurait pu à la rigueur évoquer Fredo Corleone, le mouton noir de la famille. En plus camé. Mais certainement pas un gros poisson. Ioulia savait peu de chose de Mike. Il était juste l'un des rares jeunes d'Avdiïvka avec qui elle se sentait capable de s'asseoir tranquillement pour discuter. Même si c'est lui qui assurait l'essentiel de la conversation. Toujours à cent à l'heure.

— Ioul, quand est-ce que l'été arrive ? Je n'en peux plus du gris… Tu veux faire une partie de Mario Kart ?

— Hum, je ne vais pas trop traîner, j'ai à faire aujourd'hui.

Le garçon ne releva pas. Il était toujours d'une parfaite délicatesse quant aux activités de Ioulia. Jamais une allusion à son travail. Jamais, surtout, il ne lui avait proposé de « payer en nature ». En plus d'être un compagnon d'oisiveté plus que passable, Mike était surtout le dealer de Ioulia. Un excellent dealer.

— Qu'est-ce qui te ferait plaisir, Ioul ? Juste du

hasch ou tu veux de la coke ? Je peux te faire de l'héro à des prix imbattables. Ou du krokodil comme si c'était donné !

Le krokodil. La drogue du lumpenprolétariat de l'espace postsoviétique. Un dérivé de morphine, une sorte de sous-héroïne qui vous bouffait la peau, littéralement, et vous laissait sur le carreau en moins de trois ans…

— Qu'est-ce qui te prend, Mike ? Tu oses me proposer ça à moi ? Tu sais que je fume seulement un joint de temps en temps, je ne suis pas une toxico. Tu veux ma mort ou quoi ?

— Désolé, Ioul, c'était plus pour faire la conversation, mais c'était stupide. Je ne proposerais pas ça à une amie, bien sûr. Je suis un peu à cran en ce moment. Des quantités d'héro et de krokodil sont tombées sur la ville, ces dernières semaines, et on me met une pression dingue pour écouler tout ça. Je n'ai jamais vu un tel afflux, mais au prix auquel on me propose la came, je serais idiot de refuser.

— C'est quoi cette déferlante ? demanda la jeune femme en prenant un ton grave.

Elle n'aimait pas du tout l'idée de voir les jeunes de la ville tomber dans la drogue dure comme des mouches.

— Il vaut mieux que tu ne connaisses pas tous les secrets du business, mais ça vient de là-bas, de l'Est. De nouveaux circuits, j'imagine.

De son bras décharné, Mike montrait la direction du front et, au-delà, des territoires séparatistes. Il alluma la console et le visage de Mario apparut à l'écran.

— Je ne sais pas qui te met la pression, Mike, mais fais attention où tu mets les pieds. À part toi, personne ne fait de sentiment ici.

En refermant la porte de l'immeuble du dealer, emmitouflée dans sa grosse doudoune, Ioulia fut saisie par le bruit de la canonnade. Pas moins de quatre déflagrations dans le lointain. La bande-son de sa défonce, s'amusa-t-elle. La jeune femme se dirigea vers la banque la plus proche, qui jouxtait l'hôpital. Elle tira 6 000 hryvnias au distributeur. Une somme, plus de 200 euros. Avant de rejoindre sa petite Fiat Punto, elle fit un détour par l'accueil de l'hôpital. Elle déposa 1 000 hryvnias à la préposée, qui recueillit l'argent avec un sourire béat. On manquait de tout, les dons étaient plus que bienvenus. Puis elle prit la route du Vieil-Avdiïvka : la vieille Antonina Gribounova l'attendait sur le petit pont marquant l'entrée du village. Les 5 000 hryvnias restantes étaient pour elle.

Henrik était sorti de la ville et roulait depuis quinze minutes, son GPS indiquant le sud-est. Les champs s'étendaient à l'infini, désert de terre noire sur lequel s'accrochaient encore de maigres îlots de neige. Les arbres bordant la route, sectionnés à mi-hauteur, ne laissaient apparaître que des troncs amputés et tranchants. Les uns après les autres, ils avaient été soufflés par l'éclat des explosions, coupés net par le fracas métallique venu du ciel. Dans ce paysage monotone, seule la silhouette grandiose des terrils triomphait, leurs parois ravinées remplies de sillons de neige. Chacun d'eux formait dans le lointain un Olympe de charbon aux reflets bleuâtres. C'était le début de la grande steppe minière, le cœur battant du Donbass.

Avdiïvka marquait une limite. Derrière, à l'ouest, commençait l'Ukraine des plaines et du blé, celle des terres noires. Un autre monde. À l'est, c'était le pays des houillères, des puits d'extraction, là où les séparatistes s'étaient le mieux implantés. Les terrils étaient les gardiens de ce territoire secret, de ses richesses souterraines. Ceux du Donbass s'y accrochaient comme des montagnards à leurs sommets.

Henrik ressentait toujours le même creux dans l'estomac quand il pénétrait sur les terres de son enfance, si désespérément vides. La région avait fourni à l'URSS le charbon qu'on utilisait dans tout l'Empire. Elle produisait plus d'acier que la Ruhr. Tout cela, l'industrialisation massive et éclair des années trente, l'héroïque déménagement des usines devant l'avancée nazie, il l'avait appris à l'école, les yeux emplis de fierté. En ce temps-là, la gloire du Donbass rejaillissait sur les mineurs et les métallos, ruisselait sur leurs enfants. Les entrées des mines et des usines étaient marquées par des fresques grandioses, des sculptures d'ouvriers aux muscles saillants, des étoiles écarlates.

Tout s'était écroulé en quelques années. Le pays tout entier, et avec lui les mines, les usines. Le siècle nouveau renonçait à la houille, la Chine déferlait sur les marchés. Les anciennes infrastructures soviétiques se révélaient caduques, dangereuses, peu productives. Le plan quinquennal s'inclinait devant l'économie de marché et aucun Stakhanov aux cadences merveilleuses n'aurait pu y faire quoi que ce soit. Les trois quarts des mines avaient fermé.

Peu à peu, la végétation avait commencé à s'infiltrer dans les terrils abandonnés. Des touffes d'herbe et des arbustes timides poussaient le long des sillons de ruissellement.

Il n'était plus question d'avenir radieux, le présent tout entier se dérobait. Un présent douillet, rassurant, où l'on pouvait espérer marier une gentille fille et l'emmener une fois par an sur la côte de Crimée, où l'on gagnait sa croûte et sa boisson du samedi soir, où les barres d'immeubles étaient les mêmes pour tous. Où l'on pouvait partir à la pêche en sachant que le pays et le foyer seraient toujours là au retour. Dans ce monde-là, les villes s'appelaient Anthracite, Prolétaire, Bonheur… On y construisait des jardins d'enfants, des hôpitaux, des tramways aux couleurs pastel et naïves comme des slogans révolutionnaires. Tout avait valdingué. Le Donbass s'était retrouvé d'un coup comme une baleine échouée sur le rivage, rouillé, inutile, trop grand pour le pays nouveau et inconnu auquel il appartenait désormais. Ses habitants avaient assisté au dépeçage de l'outil industriel. Les oligarques achetaient et vendaient les usines comme des jetons de poker, pendant que les maraudeurs en arrachaient le métal pour le revendre sur des marchés noirs de misère. Les anciens mineurs sortaient à la nuit tombée voler dans des trains de marchandises le minerai que, dans cette autre vie désormais disparue, ils avaient sorti de terre à la force de leurs bras. Ou bien ils partaient dans les mines illégales du centre de la région, des galeries artisanales bâties à la va-vite dans lesquelles les wagonnets étaient remplacés par des baignoires tractées par des cordes – les accidents y étaient encore plus nombreux que dans les mines officielles. Ceux qui avaient gardé leur boulot avaient découvert leur nouveau statut de sous-prolétaires, de déchets de l'histoire. On ne les comparait plus aux cosmonautes mais aux ouvriers bangladais. Les filles l'avaient compris, elles aussi. Dans les bals, s'il y en avait encore, elles ne se disputaient plus les jeunes mineurs aux bras durs comme la pierre.

Et voilà que le passé devenait à son tour chose friable ! Les signaux rouges disséminés sur la plaine étaient menacés. Les statues de révolutionnaires ardents et de mineurs d'exception vacillaient. Les Lénine trônant avec bienveillance sur les places des villages tombaient les uns après les autres sous les coups de boutoir de la révolution kiévienne.

Comme Henrik la comprenait, cette colère sourde du Donbass ! Même lui qui n'avait jamais eu besoin de s'inventer des héros. Même lui qui avait depuis longtemps renoncé à contempler son propre passé avec la moindre complaisance. Kiev s'était lourdement trompée sur le compte du Donbass. Elle avait fait sa révolution et cru que ceux de l'Est, les gueux, suivraient ou se tairaient, comme ils l'avaient toujours fait. Le Maïdan avait été un cri de colère contre la corruption, l'injustice… Les habitants du Donbass partageaient ce cri, mais ils n'avaient que faire du discours nationaliste et chauvin qui l'accompagnait. La menace d'enlever au russe son statut de langue officielle n'avait fait qu'accroître cette crispation. Seulement, personne n'était prêt à écouter. Alors ceux de l'Est s'étaient tournés vers ce qu'ils connaissaient : pendant que Kiev choisissait l'Europe et s'illusionnait en songeant à un futur meilleur, le Donbass avait regardé vers Moscou et cherché refuge dans le passé. L'ancienne mère patrie n'attendait que cela. Ce que les gens du Donbass ignoraient, en revanche, c'est

qu'entre-temps elle était devenue une marâtre aca-
riâtre et cynique.

L'hiver s'éternisait, pensa Henrik. Le froid et
le ciel bouché lui pesaient. L'été, il oubliait plus
facilement la rudesse du paysage et la noirceur des
rancœurs. Les champs se recouvraient d'une mer
de tournesols. L'air était saturé de leur senteur. Les
hommes eux-mêmes changeaient. Leur peau brunis-
sait, leur langue se faisait plus traînante.

Dans l'immensité désertique, le policier croisa
un side-car orné d'une étoile rouge, son conducteur
coiffé d'une chapka, lunettes d'aviateur sur les yeux.
Un enfant, probablement son fils, était installé dans
le siège passager, tête nue, un arrosoir métallique
dans les bras. Henrik sourit. Il ouvrit la vitre du véhicule, laissant le vent pénétrer dans l'habitacle.

Il avait déjà passé Severne et s'apprêtait à entrer
dans Vodyane quand il tomba sur le check-point installé par l'armée à l'entrée du village.

Trois militaires se réchauffaient autour d'un bra-
sero, assis sur des chaises en plastique, pendant
qu'un quatrième procédait aux contrôles, le visage
masqué par une cagoule. Il s'approcha de la voiture
du flic, le doigt sur la détente de sa kalachnikov.
Accueillant.

— D'où tu viens ? Où tu vas ?

— Bonjour, répondit Henrik le plus posément
qu'il put. Police d'Avdiïvka, je m'arrête à Vodyane,
pour enquête.

— Tu as un laissez-passer ? Un mot de passe ?

En toute logique, sa qualité de policier et son ton affable auraient dû suffire, mais Henrik se savait dépendant du bon vouloir des soldats postés aux barrages, de plus en plus hargneux à mesure que l'on approchait du front. Si tout était en ordre, en théorie il n'y avait pas de problème. Mais Henrik n'avait aucun laissez-passer et encore moins de mot de passe, dont la divulgation était réservée aux seules forces armées. Les flics restaient le sous-prolétariat des services de sécurité de la région. Comment s'était-il laissé piéger ainsi ? Avec les gars de la 72e brigade, cela passait toujours, ils connaissaient sa tête. Et surtout, en cas de pépin, il avait le numéro du commandant, un type accommodant. Mais là, il changeait de secteur et se trouvait dans une zone contrôlée par la 93e, dont les membres entretenaient leur réputation de durs à cuire autant sous le feu que dans leur capacité à chercher des poux au reste du monde.

— Écoutez, appelez votre commandant et demandez-lui des instructions. Je suis flic.

Henrik lui-même eut un doute. Réduit à quémander son passage sur les routes de sa propre région, il faisait un fier représentant des forces de l'ordre !

— J'ai consigne de n'appeler que les check-points qui se trouvent avant le mien et après le mien. Si le commandant à un ordre à faire passer, il nous le transmettra. Ce n'est pas à nous de l'appeler. En attendant, tu vas te garer sur le bas-côté. À cinquante mètres minimum d'ici.

Henrik commençait déjà à manœuvrer, attrapant

son téléphone pour appeler ses adjoints. Il leur demanderait de trouver le numéro du commandant de la 93e, qui tarderait ensuite à faire redescendre les ordres. Sans compter les risques de déperdition entre ces différents coups de téléphone. Les Russes, qui écoutaient les portables de tous les gradés de la région, devaient bien se marrer.

Il se ravisa et ouvrit la porte de la voiture, doucement, pour ne pas effrayer l'autre. Une rafale était vite partie.

— Écoute, petit, tu as quel âge ?

Le soldat resta une seconde interdit.

— 26 ans, finit-il par lâcher à contrecœur.

— Tu as des enfants ?

— Bien sûr, deux.

Henrik vit le doigt de l'homme se retirer lentement de la détente. C'était presque gagné.

— Où est-ce que tu habites ?

— Tu vas trop loin, le flic…

Le doigt s'était subrepticement remis en position.

— OK, arrêtons la comédie, dit Henrik en sortant de son véhicule pour se retrouver face au visage du soldat. (Même dissimulé sous sa cagoule, Henrick sentait que l'autre n'était pas à l'aise.) Je vais te donner deux très bonnes raisons de me laisser passer et tu choisiras laquelle tu préfères. Je te préviens tout de suite, il n'y a pas de troisième option. La première, c'est que la vie d'un gamin est en jeu. Si tu continues à me retarder, un enfant peut mourir, c'est aussi simple que ça.

Le mensonge était léger, mais il n'était pas temps de finasser.

— La deuxième raison, reprit Henrik, c'est que si tu ne me laisses pas passer immédiatement, je vais te pourrir la vie au point que tu regretteras d'être jamais sorti du trou où tu es né. Tu auras tous les flics d'Ukraine sur le dos, et même si tu vas au Canada ou en Australie, je dois pouvoir trouver des types prêts à te suivre quand tu iras pisser.

Le soldat suivit le regard d'Henrik qui, comme pour mieux appuyer sa menace, s'était posé sur l'écusson où était inscrit le nom de guerre du combattant. « Foudre »… C'était mince pour l'identifier, mais le regard du policier montrait que celui-ci ne plaisantait pas.

— Tu passes, finit par concéder le factionnaire. Seulement, fais bien attention sur la route, les séparatistes sont actifs par ici, une fusillade est vite arrivée !

C'était de bonne guerre, l'autre n'allait pas abandonner sans jouer aussi de sa petite menace… Henrik s'en foutait, il avait déjà démarré en trombe.

Un attroupement s'était formé à l'entrée du village. Henrik s'attendait à y voir la mère du petit Sacha, mais seuls des retraités aux allures misérables étaient présents. Manteaux hors d'âge, pantalons tenus par des ficelles, bonnets posés de travers sur des visages ravagés, bottes élimées… On aurait dit d'anciens prisonniers libérés après vingt ans de goulag. À la vue de la voiture d'Henrik, le groupe se mit en marche d'un pas lent, troupe piteuse semblable à une armée de zombies. Certains tiraient des vélos sur lesquels étaient accrochés des seaux et des marmites. Ils firent cercle autour d'Henrik.

— Il n'y a qu'une seule voiture ? demanda un vieux d'une voix forte, dévoilant une bouche entièrement remplie de dents en or.

Les autres se tenaient légèrement en retrait, dans des poses modestes, certains les yeux baissés.

Henrik comprit : on attendait la visite d'une ONG. Les vieux ne savaient pas ce qu'on devait leur apporter – sucre, farine, viande, ou peut-être seulement du charbon –, mais ils étaient déterminés à attendre le temps qu'il faudrait. De toute leur vie, ils n'avaient rien réclamé à personne, jamais demandé la moindre aide. Ils avaient travaillé tout le temps que l'État leur avait dit de travailler. Puis l'État avait disparu, et avec lui les retraites qu'ils avaient attendues toute leur vie ; les infrastructures et les services publics qui rendaient la vie au village agréable : routes, jardins d'enfants, maison de la culture, dispensaire... Pour leurs années de labeur et de loyauté, ils touchaient des pensions misérables. Ils n'auraient malgré tout pas songé à se plaindre. Ceux qui pouvaient continuer à travailler – vendeurs dans les magasins, vigiles, manutention-naires – l'avaient fait. Les autres avaient sarclé la terre et fait pousser des courgettes, des tomates, des potirons. Ils vendaient en ville leur production, en plus des champignons qu'ils allaient cueillir en forêt. Cela, même la guerre le leur avait pris : les forêts étaient minées et les soldats des deux camps tiraient sur quiconque osait s'y aventurer. Des mendiants, voilà ce qu'ils étaient devenus.

À défaut des produits espérés, la visite d'Henrik offrait une distraction.

— Il paraît que les séparatistes vont attaquer le village ?

— C'est vrai qu'à Avdiïvka vous vivez mieux qu'ici ? Il paraît que vous avez même encore le coiffeur là-bas, que les cafés sont ouverts...

— Colonel... quand est-ce que ça va se terminer, tout ça ?

Henrik avait fini par se faire conduire chez Alina Zourabova, sans répondre à ces assauts inquiets. Il n'avait pas la force de rassurer ces vieux à la dérive. Et aucune réponse à leur apporter.

La maison était coquette et n'avait pas trop souffert. Seules les vitres étaient remplacées par du plastique. À l'échelle du village, c'était un luxe : au moins un bâtiment sur deux était détruit. Certains, épargnés par les bombes, avaient subi l'occupation de différents groupes armés. Tout y était sens dessus dessous, les meubles éventrés, les matelas et les déchets des soldats encore au sol. Les murs disaient les différentes strates d'occupation : des MORT AUX FASCISTES UKRAINIENS étaient recouverts d'inscriptions plus fraîches promettant le même sort aux séparatistes. Sur la façade des maisons encore habitées, les habitants avaient tracé des inscriptions en grosses lettres : ICI VIVENT DES GENS. Ils espéraient qu'elles pourraient détourner la course des bombes.

Alina Zourabova savait. Quelqu'un s'était chargé de l'informer de la mort de son Sacha et Henrik en fut soulagé : cela rendait sa mission moins pénible. La mère avait la trentaine, et un visage rond que la douleur n'avait pas encore complètement déformé. Ses yeux étaient rouges, perdus dans le vague. Elle faisait un effort surhumain pour se tenir droite face au policier, qu'elle avait invité à s'asseoir dans le salon avant de partir chercher des biscuits et du thé à la cuisine.

— Colonel, ce que l'on dit est vrai ? Sacha… a été démembré ?

— Les rumeurs travaillent trop vite. Vous allez bientôt venir à Avdiïvka pour reconnaître le corps, vous verrez vous-même ce qu'il en est.

La jeune femme avait visiblement des milliers d'autres questions à poser, mais pour l'instant elle les gardait pour elle. Ce fut Henrik qui rompit le silence :

— Alina, vous n'étiez pas à la distribution de nourriture ?

— Je ne m'y suis pas encore résolue. Je suis seule dans cette maison, maintenant, j'ai assez à manger. Vous savez, avant la guerre, j'étais comptable en chef chez Auchan, à Donetsk. Ce n'est pas évident de perdre cette vie confortable, mais ça l'est encore moins de se résoudre à mendier.

Après sa rencontre avec la grand-mère de Sacha, Henrik s'était attendu à trouver à Vodyane une famille de marginaux, d'alcooliques. Le Donbass en comptait des milliers, des débris humains ballottés par la vie, qui courbaient l'échine en permanence, attendant uniquement le prochain coup.

Voilà qu'il avait en face de lui une femme délicate qui, en dépit du malheur qui la frappait, s'exprimait posément. Vodyane était un village typique de l'est de l'Ukraine, pauvre, avec ses vieux miséreux et ses maisons délabrées. Mais pour quelques familles soucieuses de vie au grand air, il était une simple banlieue-dortoir de Donetsk. Avant la guerre, la grande ville était à moins de vingt minutes en voiture. Elle appartenait désormais à un autre monde, lointain, inaccessible. Ceux qui, auparavant, travaillaient à

Donetsk n'y allaient plus, et la plupart des entreprises avaient de toute façon fermé leurs portes.

— C'est pour ça que j'ai envoyé Sacha chez sa grand-mère, reprit Alina. Ici, je n'ai plus rien, et en hiver le potager ne donne pas. Ma mère, au moins, touche sa retraite. Mon idée était de récupérer Sacha avant la fin de l'hiver et de rester là pour préparer la terre dès le début du dégel. Sacha était très intelligent, ajouta Alina en baissant les yeux. Il avait tout compris et faisait le maximum pour ne pas rendre les choses trop compliquées. Il était très attaché à ma mère.

Henrik avait envie de demander pourquoi tout ce petit monde n'avait pas pris depuis longtemps ses jambes à son cou pour partir ailleurs, loin du brasier. Il y a encore un an ou deux, il aurait posé la question. Mais la réponse ne l'intéressait plus vraiment. Chacun avait la sienne, bonne ou mauvaise, et c'était simplement devenu un fait : les gens restaient. La guerre avait certes fait, selon les statistiques officielles, deux millions de déplacés ; bon nombre d'entre eux finissaient par revenir.

— Où est le père de Sacha ? demanda-t-il finalement.

Alina eut un geste évasif qui pouvait signifier tout et n'importe quoi : mort, prison, alcoolisme, disparition… Toute la gamme des destins masculins du Donbass.

— Je l'ai mis dehors il y a longtemps. C'était un homme bien, nous avons traversé des épreuves difficiles ensemble, avant la naissance de Sacha. Mais il

90

n'a pas supporté que je réussisse professionnellement, je crois, que j'échappe à sa tutelle. À mesure que je progressais dans ma carrière, il accumulait les échecs. Il est devenu odieux, agressif...

— Violent?

— Violent. Avec le petit aussi. Je l'ai mis dehors la première fois où il a levé la main sur lui. Il s'est exécuté, comme un lâche. Je ne l'ai plus jamais revu. Mais je sais où il est, dit Alina en baissant la tête. Enfin, pas précisément... Ça peut être à trois kilomètres d'ici comme à cinquante. Il m'a appelée il y a un an pour m'annoncer qu'il avait rejoint l'armée de la république populaire de Donetsk. Il était fier, il pensait m'impressionner. Je lui ai dit que ça ne m'intéressait pas et lui ai interdit d'entrer en contact avec Sacha.

— Pourquoi est-il parti là-bas, selon vous?

— Les échecs, j'imagine... À la guerre vous êtes quelqu'un, on vous respecte ou on a peur de vous. Et puis imaginez, ce n'est pas tous les jours que l'on a l'occasion de se battre pour une grande cause! Alors quand cette cause s'appelle le «monde russe», comme dit Poutine, la Novorossia, il y a de quoi s'enthousiasmer. Vous croyez qu'ils sont venus ici pour quoi, ces milliers de jeunes Russes qui ont quitté leurs villages de Sibérie ou d'ailleurs? Pas les soldats qu'on envoie sans leur demander leur avis, mais les volontaires. Il n'y a pas que des sadiques amoureux des armes et de la violence...

Ajoutez à ça un épisode comme celui d'Odessa, se

dit Henrik, et le tableau dressé par Alina Zourabova était complet. Cinquante prorusses brûlés vifs dans la Maison des syndicats, le 2 mai 2014… Une bavure, mais ça en avait convaincu plus d'un que cette guerre était juste, qu'il fallait empêcher les Ukrainiens de tuer tous les Russes du pays.

Alina poursuivait, intarissable, comme si chaque mot qu'elle prononçait l'éloignait de son Sacha.

— Ils veulent donner un sens à leur vie, échapper à un monde qu'ils ne comprennent plus. J'imagine qu'ils ont soif d'absolu…

Comme les petits Européens qui partent faire le dji- had, pensa Henrik. Des jeunes qui cherchent un but, quelque chose qui les transcende, et à qui la société ne propose que des centres commerciaux et des jeux vidéo qu'ils n'ont pas les moyens de payer…

— Et vous, elle ne vous enthousiasme pas, cette grande cause ?

— Moi, je suis une femme, mon affaire, ce n'est pas les grandes causes ! Une chose est sûre, je n'aime pas l'idée que quelqu'un puisse venir chez son voisin se mêler de ses affaires, tout retourner. Ça doit être mon côté maîtresse de maison, dit Alina en réprimant un sourire. Quel besoin avaient les Russes de venir ici apporter le malheur et la mort ? Qu'ils nous laissent tranquilles, avec leurs tsars, leur mentalité de colo- nisateurs ! Mes parents sont russes, mais qu'ils nous laissent tenter notre chance ici !

Henrik s'attardait. Il avait reçu deux appels de son adjoint, Balouga, qu'il n'avait pas pris. Il aurait pu écouter Alina Zourabova parler pendant des heures. Se resservir encore et encore du thé, oublier le vacarme et le froid. La voix chaude et grave de la femme le berçait, ses paroles faisaient écho à ses propres réflexions. Il s'était surpris, une fois, à se dire qu'il préférait le jaune et le bleu scintillants du drapeau ukrainien au si sérieux blanc-bleu-rouge russe. Que c'est comme ça, en réalité, qu'il avait choisi de maintenir son allégeance à l'Ukraine. Que les Ukrainiens bordéliques et fantasques lui plaisaient plus que les Russes soumis, que leur liberté brouillonne correspondait mieux à sa propre nature sauvage…

Alina s'était finalement effondrée. Les larmes qu'elle retenait depuis l'arrivée du policier avaient fini par sortir. Ils n'avaient même pas eu besoin d'évoquer à nouveau Sacha, la douleur était revenue d'elle-même. Elle parlait du futur et d'une société plus juste alors que tout venait de s'arrêter, que son futur à elle venait de disparaître à jamais. Henrik savait ce qu'elle ressentait : tout autour d'elle, jusqu'à l'air qu'elle respirait, la brûlait. Quand il avait pris congé, Alina avait fait un pas dans sa direction. Le colonel s'était raidi.

En reprenant la route d'Avdiïvka, il fut soulagé de voir Vodyane s'éloigner dans son rétroviseur. Qu'avait-il cru ? Qu'il pouvait tranquillement s'installer dans le salon de cette femme et papoter avec elle ? Son fils était mort ; il n'avait rien à lui offrir.

Il s'était au contraire servi, lui avait pris son thé, ses larmes, la chaleur de son foyer. Il avait fondu sur le village et, tel un oiseau de mort, picoré les dernières miettes de misère qui y étaient encore éparpillées. Henrik ne se calma qu'à la vue familière des cheminées de l'Usine. Mentalement, il fit le point. Sa visite n'avait pas apporté grand-chose. L'hypothèse que le père de l'enfant ait traversé la ligne de front pour tuer son fils n'était pas complètement impossible, mais assez baroque. Elle plairait au général Vassilkov. Dans le même temps, le petit Sacha était aussi l'enfant d'un séparatiste. Dans les cerveaux échauffés d'Avdiïvka, cela pouvait accréditer l'idée d'un meurtre commis «par l'armée», ou par des groupes nationalistes ukrainiens en quête de vengeance. C'était tout aussi tiré par les cheveux, mais les âmes et la crédulité des gens du Donbass étaient insondables. N'avaient-ils pas cru, massivement, maladivement, à la légende de l'enfant crucifié de Slaviansk? Après la reprise de la localité par l'armée, en juillet 2014, la première chaîne russe avait fait la une de son journal télévisé sur la crucifixion d'un enfant de 4 ans par les forces ukrainiennes, sur la grand-place de la ville. Le témoin principal qu'avaient interrogé les journalistes était en réalité une actrice et l'affaire avait été intégralement inventée par de petits Goebbels en herbe. Mais le mal était fait et le mythe de l'enfant crucifié s'était répandu comme une traînée de poudre, ajoutant une nouvelle couche de tension et de haine sur le corps pourri du Donbass.

Le capitaine Igor Denissovitch Balouga revenait de déjeuner d'un pas guilleret. Signe de sa bonne humeur, il avait décidé de rentrer à pied du restaurant, demandant à l'un de ses hommes de venir récupérer sa voiture. Le capitaine ne marchait pas souvent, et malgré le froid il transpirait légèrement. Sûrement la vodka qu'il avait avalée durant le repas, accompagnée de harengs à l'huile et de lard fumé de toute première qualité. Le déjeuner s'était révélé prometteur : un riche homme d'affaires de Kiev qui voulait ouvrir une salle de sport dans la ville. « D'élite », avait précisé l'homme avec un clin d'œil. Il fallait être un peu fou ou avoir beaucoup de dollars à blanchir pour imaginer un tel investissement à Avdiïvka, mais tant qu'il touchait sa part, Balouga se fichait pas mal de la façon dont l'autre dépensait son argent. Il devrait tout de même en parler à Izmaïlov, attendre le feu vert de l'Empereur. Lui aussi voudrait sa part, soupira le policier, et comme la vie était injuste elle serait plus importante que la sienne… C'est Levon Andrassian, le directeur de la cokerie, qui lui avait envoyé ce bon client : il faudrait voir si l'Arménien attendait lui aussi

95

une rétribution ou si cette nouvelle affaire rentrait dans le cadre de leurs arrangements actuels.

Lorsqu'il arriva en vue du commissariat, Balouga faillit sursauter. Une trentaine de badauds étaient réunis devant le bâtiment, visages fermés. Le groupe présentait tous les signes de l'hostilité, à commencer par des cris indistincts qui, pris ensemble, ressemblaient à un grognement. Tout cela était très inhabituel, pensa Balouga en se dandinant pour accélérer le pas.

Trois de ses hommes étaient sortis sur le terre-plein devant le commissariat et regardaient le groupe d'un air craintif.

— Qu'est-ce que vous faites là ? demanda le policier à un homme d'une quarantaine d'années, casquette de cuir vissée sur le crâne, qui se tenait quelques pas en avant des autres. (L'homme ne dit rien, se contentant de cracher par terre.) Qu'est-ce que vous voulez ? demanda encore Balouga en s'adressant au groupe.

— On veut la justice ! cria une voix de femme.

Le visage bouffi et rougeaud de Balouga perdit immédiatement le peu de jovialité qui lui restait. Cela commençait mal…

— On veut que les crimes s'arrêtent ! reprit une autre voix.

— De quels crimes vous parlez ? demanda le capitaine, sincèrement surpris.

— Les meurtres. Les meurtres d'enfants !

— Ah, ça !…

Quelques passants, attirés par les cris, s'étaient

rapprochés. Balouga connaissait trop bien les habitants de sa ville pour ne pas savoir que leur colère, encore contenue, pouvait se métamorphoser en un clin d'œil en une explosion de rage. La situation était sous contrôle, mais il allait falloir manœuvrer habilement. Le capitaine fit signe à ses agents de rester en retrait.

— Chers amis, reprenez votre sang-froid, dit-il d'un ton conciliant, levant ses grosses mains en signe d'apaisement. Il n'y a eu pour l'instant qu'un seul meurtre. Nous travaillons très activement à sa résolution. Et le gamin n'est pas d'ici, enfin !

— Pour l'instant !? rugit l'homme à la casquette de cuir. Tu veux dire qu'il faut s'attendre à plus ? Qui tu protèges ? Tes copains les soldats ? Qu'est-ce qui nous dit qu'il n'y en a pas déjà eu d'autres ?

— Vous mentez en permanence, dit une petite vieille d'un ton qui ne souffrait pas la réplique. (Elle s'approcha de Balouga, tendit vers lui sa canne et demanda calmement :) Quels sont précisément vos résultats ?

— Écoutez, sur ce point, et s'il en éprouve le besoin, je préfère laisser le colonel Kavadze vous répondre, éluda le gros policier avec un sourire bonhomme.

— Ah oui ? Et il est où, votre grand chef ? demanda une fille très jeune qui tenait un landau. Occupé à compter les oiseaux, comme d'habitude ?

Balouga ricana. La formule n'était pas mal trouvée : Kavadze était un doux rêveur et un incapable. Son enquête allait être un désastre !

L'homme à la casquette s'était approché. Balouga vit le mince liseré noir formé, sur la paupière inférieure, par la poussière de charbon. Un mineur. Le gros poing cagneux qu'il tendait en direction du policier le confirmait.

— Tu pues l'alcool, dit l'homme d'une voix sourde. C'est comme ça que tu travailles ? On ne te donne pas assez de pots-de-vin pour que tu fasses ton boulot ?

— Ah, c'est comme ça ? dit Balouga soudain rouge de colère. Tu t'es cru sur Maïdan ? Attrapez-moi ce connard et foutez-le au trou, ordonna-t-il aux trois policiers derrière lui.

Le coup, assené avec force dans la face du capitaine, partit avant que les trois hommes aient fait un pas. Au même instant, une vitre du commissariat éclata, brisée par une pierre lancée depuis la rue. Rapidement suivie d'une deuxième. Les vieilles furent les premières à se ruer vers le bâtiment. Derrière, les hommes hésitaient encore, leurs poings enfoncés dans leurs manteaux.

— On se replie ! cria Balouga.

Le visage écarlate, l'arête du nez en sang, le policier se précipita dans le commissariat, ses hommes juste derrière lui. Ceux-ci avaient réussi à s'extraire de la nasse et traînaient avec eux leur prisonnier, le mineur aux poings nerveux.

À l'intérieur, Balouga organisait la défense du bâtiment. Les portes avaient été verrouillées et il avait ordonné à ses hommes d'enfiler leurs uniformes antiémeutes. On en avait trouvé quatre poussiéreux dans tout le commissariat. Un agent armé d'un fusil avait pris position sur le toit, bien en vue de la foule. Henrik était injoignable. Le capitaine s'était résolu à appeler le général Vassilkov pour prendre des consignes et se couvrir si les choses venaient à se gâter. La conversation avait duré à peine plus d'une minute.

— Capitaine Balouga, avait dit le général une fois que l'officier eut exposé la situation, vous n'êtes pas capable de gérer une manifestation de grands-mères dans votre foutu patelin ? Vous vous démerdez pour mettre fin sans plus tarder à ce bordel.

Sacha Zourabov n'avait pas été violé. Henrik avait reçu les résultats des laboratoires en revenant au commissariat après sa visite à Vodyane. Il était arrivé en ville juste à temps pour assister à la fin de « l'émeute », le terme employé par Balouga quand, plus tard, celui-ci lui avait fait son rapport. Il avait vu, éberlué, quatre de ses hommes sortir du commissariat en tenue complète de Robocop, depuis les casques à visière jusqu'aux boucliers métalliques, leur chef sur les talons, hurlant dans un mégaphone des ordres de dispersion. La foule avait obtempéré au bout de quelques minutes. Il prendrait inévitablement sa part du fiasco, mais en attendant, la panique de son adjoint le faisait doucement rire.

Le colonel pensa à Alina Zourabova. Il ne savait pas si elle serait soulagée d'apprendre que celui qui avait tué son fils ne l'avait pas violé ; lui l'était. Même si cela rendait l'affaire plus confuse, plus inextricable, et ouvrait la porte à une barbarie brute et incompréhensible, glaçante. L'autopsie avait aussi confirmé que la mort de l'enfant était due au coup de couteau qu'il avait reçu dans le foie, juste sous le sternum. La mort remontait à trois ou quatre jours avant la découverte du corps, les médecins n'avaient pu être plus précis. On avait aussi trouvé de légères ecchymoses sur la partie supérieure du corps de l'enfant. Le garçon s'était probablement débattu pendant que l'on cherchait à l'immobiliser. Le coup de couteau était venu ensuite.

Les premiers résultats du laboratoire de Kharkiv étaient arrivés en même temps que les conclusions du légiste d'Avdiïvka. Ils étaient maigres. Aucune trace d'ADN étranger n'avait pu être retrouvée sur le cadavre, pas plus que sur le couteau. Celui-ci ne comportait pas non plus d'empreintes digitales. On avait en revanche retrouvé sur l'arme, mais aussi sur le corps de l'enfant, des résidus de poussière de charbon. D'anthracite, précisément, le roi des charbons, le plus pur et le plus riche en carbone. Le sol de la région en regorgeait, c'est lui qui avait fait sa richesse, lorsque l'on croyait encore que la houille était le meilleur allié des lendemains qui chantent. Il n'était pas non plus surprenant d'en trouver à proximité de l'Usine. L'anthracite ne fournissait pas la matière première nécessaire à la fabrication du coke – on utilisait pour cela du charbon gras ou bitumineux, plus noir, moins concentré –, mais il faisait partie des combustibles utilisés pour chauffer les fours gigantesques de la cokerie. Sa présence sur le corps du petit Sacha n'en demeurait pas moins étonnante. Le charbon était partout dans l'air du Donbass. Henrik, comme tous les habitants de la région, avait grandi à ses côtés, chérissant l'idole souterraine en même temps qu'il s'en remplissait les poumons en respirant. Mais sa concentration n'était pas suffisamment importante pour que l'on retrouve des plaques entières de poussière d'anthracite sur la peau du garçonnet. À moins qu'il n'ait été en contact direct avec le charbon. Henrik se souvenait des engueulades infligées par sa mère les fois où il rentrait noir de crasse après avoir joué dans les terrils.

Le vieux flic allait en être réduit à suivre des techniques de vieux flics. Il n'avait aucune piste, aucun début d'explication à la mort du petit Sacha. Si ce n'est que quelqu'un avait décidé de le clouer comme un papillon dans la neige d'Avdiïvka. Il fallait recommencer à zéro, revenir aux fondamentaux. Le lendemain, il assisterait à l'enterrement du garçon. Guetterait ceux qui s'y rendraient. Avec un crime aussi répugnant, il n'était pas à exclure que le psychopathe qui en était l'auteur vienne renifler une dernière fois le cadavre de sa proie. Surtout, il fallait revenir sur les lieux du crime, suivre les traces laissées par l'anthracite. Comprendre pourquoi son papillon blanc s'était retrouvé englué dans le sombre anthracite.

Le colonel se renversa sur son fauteuil, lui arrachant un grincement aigu, comme si le métal protestait contre le traitement infligé par le corps anguleux du policier. La fissure au plafond était toujours là, cheminant hardiment entre les taches sombres incrustées dans le plâtre. Elle semblait avoir grandi. Henrik suivait des yeux ses méandres, les innombrables entailles plus petites, semblables à des éclairs, qui filaient de la faille principale pour se terminer en cul-de-sac. Elles formaient de petites rivières plongeant dans le lit du fleuve. Celui-ci semblait vouloir se diriger inexorablement vers la fenêtre. Il n'aurait bientôt plus qu'à franchir le dernier obstacle pour s'envoler vers le ciel.

— Chef, excusez du dérangement, mais je voulais vous entretenir d'une chose pas banale.

C'était Volodia, sa recrue la plus récente. Le jeune policier semblait vouer une franche admiration à Henrik, même si son regard s'était légèrement terni quand il était entré dans le bureau du chef. Peut-être était-ce de le découvrir en train de « travailler » ainsi, les yeux mi-clos, fixés au plafond.

— Chef, on a arrêté hier soir un soldat de la 72ᵉ qui mettait le souk dans le quartier de la gare, reprit-il sans attendre la permission. Le type était seul, c'est déjà assez bizarre pour un soldat. Il a menacé une vendeuse du magasin avec un couteau parce qu'elle refusait de lui vendre de l'alcool. Il y a eu bagarre avec les ados du quartier, il en a étendu deux.

— Gravement ?

— Pas grand-chose. Les gars étaient sonnés, selon la vendeuse, mais ils ont disparu quand notre voiture est arrivée.

— Et pourquoi je n'ai pas vu passer l'information, Volodia ?

Le jeune policier eut l'air embarrassé.

— J'ai essayé de vous joindre hier soir…

Le colonel ne releva pas : la veille au soir, il était dans les bras de Ioulia.

— Ça ne répond pas à ma question, Volodia. Je n'ai vu aucun rapport sur cet incident.

C'était un pur coup de bluff. Henrik ne consultait jamais les rapports. Il demandait des nouvelles à la cantonade en arrivant au travail, le matin, et la plupart du temps cela suffisait. Ses hommes le savaient pertinemment.

— Il y a eu intervention d'en haut. J'ai prévenu le capitaine Balouga, qui a joint le commandant de la 72e. Ils ont dû régler ça entre eux, puisqu'on nous a ordonné de relâcher le type avant même notre arrivée au commissariat.

Ce n'était pas très réglementaire, mais Henrik n'était pas sûr qu'il aurait agi autrement. Personne n'avait envie de se coltiner tous les poivrots de l'armée ukrainienne et d'entrer en conflit avec l'état-major. Mais le comportement de Balouga étonnait quand même Henrik : un type bourré avec un couteau dans la zone où avait été commis un meurtre d'enfant, cela exigeait au minimum quelques éclaircissements. Henrik se promit de demander des explications à son adjoint. Il en profiterait pour causer avec lui de l'émeute et se délecter de son dépit. Voilà où étaient ses derniers plaisirs…

— Vous avez le nom du type ?

— Je l'ai noté ! répondit fièrement Volodia. Sergueï Kovalko, soldat du rang. Son unité est postée sur la position Zenit, juste en face des séparatistes. Quand il était dans la voiture, il pleurait comme un gamin, il disait qu'il ne voulait pas y retourner. On aurait presque dit qu'il préférait se retrouver au trou.

Pas un artilleur, donc, se dit Henrik en pensant à Ioulia. Ceux-là étaient positionnés plus en retrait du front, pour échapper aux regards soupçonneux des contrôleurs de l'OSCE : en vertu des accords de Minsk, les unités d'artillerie et de blindés devaient en théorie se tenir à plusieurs dizaines de kilomètres du front. Côté séparatiste, on violait allègrement la règle, quitte à bloquer l'accès aux patrouilles des inspecteurs et à leur tirer dessus s'ils se montraient trop insistants. Côté ukrainien, c'était plus subtil : la majorité des unités respectaient la règle, mais celles qui restaient prêtes à l'action à proximité du front devaient en permanence se cacher, dans des cours d'immeubles, dans des bois. Le soir tombé, ou quand aucune patrouille de l'OSCE n'était dans le secteur, elles sortaient de leurs cachettes, lançaient quelques obus avant de filer se positionner ailleurs.

Henrik hésitait sur la conduite à tenir. S'il téléphonait au chef de la 72e brigade, il risquait de se heurter à un mur. En y allant à l'improviste, il pouvait tout aussi bien tomber sur des soldats hostiles, sans aucun droit de fouiner dans leurs affaires. Il fallait courir le risque et compter sur le bordel qui régnait sur le front pour se faufiler entre les mailles. On n'était certes plus en 2014, quand la désorganisation était totale et que le moindre soldat pouvait recevoir des visites d'à peu près n'importe qui, mais cela restait tout de même l'armée ukrainienne !

Sur le seuil de la maison de grand-mère Antonina, Vassili jouait avec le chaton. Il le poursuivait à l'intérieur et le chaton se laissait rattraper. Le garçon agrippait le cou de l'animal puis le retournait sur le dos pour lui gratter le ventre. Le chaton faisait semblant de se défendre, plantait ses griffes dans les bras de Vassili, qui savourait la sensation de douleur. L'enfant cessa son jeu, soudain gagné par l'ennui. *Babouchka* Antonina était sortie faire ses visites, le laissant seul à la maison. Fier de cette confiance nouvellement accordée, mais désœuvré ! Il aurait voulu jouer avec des fourmis, mais il ne parvenait pas à en trouver. Où étaient-elles ? À défaut, Vassili se serait accommodé d'un copain de jeu, mais il y avait dans les environs aussi peu d'enfants que de fourmis. Quand *babouchka* Antonina l'emmenait pour ses visites, il ne voyait que des vieilles dames. Et il s'ennuyait.

Vassili sortit dans la rue et s'arrêta un instant sur le perron avant de décider la direction de son expédition : vers la gauche ou vers la droite. Il avait le droit de sortir seul dans la rue, lui avait dit Antonina, à condition d'enfiler un manteau et de ne pas aller plus loin, vers la droite, que la maison de *babouchka* Raïssa, et vers la gauche, que celle de *tiotia* Lioudmila. Il partit vers la gauche, marchant quelques mètres sous le soleil. Il pensait à sa maman. Elle ne jouait jamais avec lui, mais elle lui manquait. Où était-elle ? Il ne l'avait pas vue depuis une semaine. En même temps qu'il marchait, il regardait attentivement le sol. Ici, il avait déjà ramassé tout ce qu'il pouvait pour sa collection. Il arriva devant la maison de *babouchka* Raïssa et la dépassa. Au-delà débutait la zone interdite, mais l'enfant s'en moquait. Il avait vu quelque chose briller dans un taillis sur le bord du chemin, quelques pas plus loin. Ce devait être un bon terrain, encore inexploré. Vassili reconnut tout de suite le métal tordu. Gagné ! Le fragment faisait la taille de sa main et le garçonnet se demanda s'il s'agissait d'un éclat de mine ou d'obus. Il aurait voulu demander à un adulte, mais il pressentait qu'il ne devait pas parler de sa collection. À personne. Peut-être à sa maman, un jour. Pourquoi n'était-elle pas là ? Pourquoi dormait-il une nuit sur deux dans la cave, loin d'elle et de ses bras rassurants ? Il abandonna le morceau de métal sous une branche pour le récupérer à son retour. Il devait d'abord explorer plus avant cette zone prometteuse. Ensuite il enterrerait toutes ses trouvailles du jour dans son endroit secret, sous le pommier, avec le reste de sa collection.

Henrik n'avait eu aucune difficulté à passer les barrages menant au front. À chaque fois, un sourire avait
suffi, accompagné au besoin de quelques cigarettes.
La plupart des soldats le connaissaient, il était chez
lui. Seules les suspensions de la Mitsubishi avaient
souffert. Le froid, les obus, le passage incessant des
lourds blindés avaient transformé l'asphalte en une
bouillie méconnaissable. Les nids-de-poule étaient si
profonds et boueux qu'un enfant aurait pu s'y noyer.
En roulant dans un silence plus pesant à mesure qu'il
approchait du front, Henrik essayait de se remémorer
à quoi ressemblaient, avant la guerre, les endroits
qu'il traversait à présent. Là, une épicerie dont il ne
se rappelait plus le nom avait été rasée. Plus loin, un
ensemble de maisons basses qu'il avait visitées avec
Anna quand ils cherchaient à quitter le centre-ville.
Elles accueillaient désormais des bandes de soldats.
Les murs encore debout leur offraient une maigre protection contre les bombes. L'un des hommes coupait
du bois devant les ruines, surveillant d'un œil une
grosse marmite sur la braise. Aucun arbre n'avait été
épargné par les obus et les coups de hache. Le terrain

alentour, morne succession de cratères, paraissait avoir été labouré par un engin extraterrestre.

C'était d'autant plus difficile de se repérer que le nouveau pouvoir avait jugé bon, jusque dans ce paysage de désolation, de mener à bien sa grande œuvre, la «décommunisation» de l'espace public. Le pays entier était pris d'une frénésie toponymique : par dizaines, on rebaptisait les rues et les villes d'Ukraine. La rue Lénine d'Avdiïvka, qui filait tout au sud de la ville et s'enfonçait en territoire séparatiste, était devenue la rue de la Cathédrale ; la rue de l'Armée-Rouge, celle des Abricots. Tout le monde continuait évidemment d'employer les anciens noms, seul le GPS d'Henrik faisait preuve d'un zèle tout maïda-nesque.

La position Zenit était l'une des plus avancées en territoire séparatiste, vers le sud. Elle s'étendait sur plusieurs centaines de mètres, entre les champs et les ruines de l'ancienne base aérienne militaire de Donetsk. Au-delà s'étendait un no man's land de trois ou quatre kilomètres, entièrement à découvert. Puis c'était le territoire de l'aéroport civil, tenu par les séparatistes. Les deux camps en avaient été successivement les maîtres, avant que les terminaux modernes construits pour l'Euro de football de 2012 ne soient transformés en une vaste ruine. Seule la silhouette fragile et criblée de trous béants de la tour de contrôle émergeait de l'amas de béton. Toutes les nuits, les positions ukrainiennes étaient la cible de tirs d'artillerie ou de mortier. Celles qui étaient encastrées dans le béton des ruines de la base aérienne étaient à peu près sûres ; les autres, simples tranchées creusées dans la terre et renforcées de soutènements de bois, constituaient un abri plus incertain. À l'arrivée d'Henrik, un épais brouillard s'était posé sur la plaine. Pour les gars de la base, cela avait du bon et du moins bon. Le bon, c'est que les artilleurs d'en face étaient quasiment aveugles et réduits au chômage technique. Ils bénéficiaient certes de l'appui des moyens de reconnaissance russes, mais sans visuel sur la cible, les tirs étaient hasardeux. Le moins bon, c'est que la brume rendait infiniment plus dangereuses les attaques de l'infanterie ennemie. Celles-ci étaient rares, et le plus souvent limitées à des coups de force aux allures de razzia antique menés par quelques hommes. Mais la perspective de voir surgir de la brume, au dernier moment, des types armés de lance-grenades et de mitrailleuses avait de quoi rendre les sentinelles nerveuses.

Personne n'avait fait attention à Henrik. Le policier ne s'était pas présenté à l'officier de service et il trottait à petits pas sur la neige fondue. Le campement ressemblait à un immense bivouac gitan. De frêles planches de bois zigzaguaient entre des mares de boue, reliant entre elles les différentes positions occupées par les soldats. Du linge pendait un peu partout, et des hommes se baladaient gamelle à la main, allant chercher de la soupe à la cantine. Et encore, se dit Henrik, comparé à 2014, quand les types dormaient dans de simples trous et crevaient de faim, on

110

n'était pas loin des standards de l'armée suisse. Le colonel aborda un caporal barbu chaussé de simples baskets pleines de boue. Le type était sans doute plus jeune qu'Henrik, mais la guerre le faisait ressembler à un patriarche.

— Sergueï Kovalko, tu sais où ça se trouve?

L'autre eut un geste vague vers un des postes les plus avancés du camp, une casemate souterraine à l'entrée marquée par de gros blocs de béton. Henrik se faufila par l'ouverture sombre, avant de marcher plié en deux sur quelques mètres, dans une galerie qui rappelait les mines de charbon de la région.

La pièce était grande, sombre, jonchée de matelas installés sur le sol à touche-touche et d'affaires éparpillées, vêtements ou vaisselle. Au centre, un antique poêle à bois trônait comme un totem, remplissant la tranchée d'une chaleur âcre et poussiéreuse. Ils étaient une petite quinzaine, assis sur leurs matelas ou des fauteuils trouvés Dieu sait où, torse nu ou en marcel. La fumée des tasses de thé brûlant et des cigarettes se mêlait à celle du poêle. L'un des gars lisait dans son coin, deux jouaient aux cartes. Les autres parlaient.

Tous s'interrompirent en apercevant l'intrus dans son uniforme de flic.

— Salut, les gars! Je m'appelle Henrik Kavadze, je viens pour…

— On sait pourquoi tu viens, vieux frère. Il ne s'envolera plus, maintenant, alors assieds-toi et bois un peu de thé avec nous.

C'était le plus vieux qui avait parlé. Peut-être pas un gradé, mais sa voix semblait faire autorité et les autres se détendirent. Henrik s'assit en retrait et un jeune soldat en claquettes vint lui apporter une tasse.

— Je ne suis pas d'accord avec toi, Micha, reprit le vieux en se tournant vers un type au visage émacié, affublé de fines lunettes d'instituteur. Pour moi, ce n'est pas seulement la victoire ou la défaite qui déterminent quelle trace une armée laisse dans l'histoire. Regarde Napoléon et sa Grande Armée ! Quand elle a envahi la Russie, elle s'est comportée comme n'importe quelle armée : elle a tué, elle a pillé, et elle a fini par brûler Moscou. Après ça, elle n'a plus fait que fuir, harcelée par les troupes tsaristes. Eh bien, demande à n'importe quel Russe ce qu'il pense des grognards de Napoléon. Il en aura toujours une image romantique et noble. Pas pour ses victoires ou ses défaites, mais parce que même quand il était occupé à piller, Napoléon brandissait l'étendard de la Révolution française, de la libération des peuples... Prends Tamerlan, à l'inverse ! Qu'est-ce qu'on retient de lui ? La construction de Samarcande ou qu'il était à la tête de hordes sauvages qui ont saccagé la moitié de la Terre ?

— Les chefs, tout dépend des chefs, interrompit un moustachu d'une quarantaine d'années, cheveux courts, tenant dans ses larges mains d'ouvrier noires de crasse une cigarette qui semblait minuscule. Les Napoléon, les Poutine, les Porochenko... Et je vous prie de ne pas rire parce que je fais figurer notre président dans cette liste, messieurs ! Ce que les chefs ont en commun, c'est qu'ils peuvent mettre en avant leur version de l'histoire, se donner le beau rôle. Napoléon l'a fait, Tamerlan ne l'a pas fait. Lui, ce qui l'intéressait, c'était la terreur. Sur son tombeau, il n'a pas fait inscrire qu'il était un bâtisseur d'empire, il a écrit : « Lorsque je reverrai la lumière du jour, le monde tremblera. » Et ça n'a pas manqué… Tu sais quand est-ce qu'un con de Russe a ouvert sa tombe ? Le 22 juin 1941, le jour où Hitler a attaqué l'Union soviétique ! Poutine, c'est un expert pour manier les deux : la propagande et la terreur…

Henrik se tenait toujours en retrait, silencieux, étonné par cette discussion de salon entre ces hommes aux airs rudes. Même ceux qui ne prenaient pas part à la conversation écoutaient attentivement. Il s'était habitué à l'obscurité et laissait son regard errer dans la casemate. Sur les murs en rondins, des icônes côtoyaient des affiches de pin-up très fifties et des dessins faits par les gars. Les thèmes variaient peu : filles à poil, chattes représentées en gros plan, visages féminins aux lèvres démesurées… Et des inscriptions : « Je veux baiser », « Suce ma bite », « Seigneur, prends soin de nous ».

— Parlons-en, de l'Union soviétique ! reprit le vieux, qui s'appelait Seva. Aujourd'hui, avec Internet, n'importe qui peut se renseigner sur les crimes de l'Armée rouge et du NKVD pendant la guerre, les exécutions de masse, les viols… Et le pacte Molotov-Ribbentrop, quand Staline s'est partagé l'est de l'Europe avec Hitler! Malgré cela, tu ne trouveras pas un Russe qui ne soit pas absolument convaincu que tous les soldats soviétiques qui ont combattu entre 1941 et 1945 étaient des héros. Pas qu'en Russie d'ailleurs, chez nous aussi, et dans quasiment toutes les ex-républiques soviétiques. À part peut-être ces rigolos d'Estoniens… Parce qu'on nous l'a répété et répété encore depuis l'enfance, pire qu'un catéchisme. Parce que sans ça nous n'étions rien et notre pays n'était rien. C'était une question de survie, pour toute l'Union soviétique et pour chacun de nous. Poutine fait la même chose aujourd'hui: il ne survit que par la mémoire de la Grande Guerre et en se posant comme une victime. À l'écouter, son grand pays si terrible est menacé par les méchants Ukrainiens, par les Américains, par la terre entière…

— Parce que nous sommes les gentils? demanda d'un ton amer un type torse nu, maigre comme un clou, qui jouait dans l'ombre avec un long poignard. L'histoire, elle retiendra quoi de nous? Que nous étions des héros ou des poivrots? Des cinglés, des dévoreurs d'enfants, des pauvres types leurrés? Tu crois que quelqu'un se rappellera toute cette boue? Ou bien ne resteront que les jolies images de nos tanks dans les champs de tournesol, l'été? T'en dis quoi, le flic?

Dix paires d'yeux brillants s'étaient tournées vers Henrik. C'était un test, une façon de mesurer s'il méritait l'hospitalité de la chambrée, et l'on n'attendait pas de lui un discours lénifiant comme aurait pu en tenir

114

le ministre Azbakov. Les gars étaient si passionnés par leur discussion qu'il sentit qu'il pouvait dire ce qu'il pensait – si ce n'était pas le cas, qu'ils aillent se faire foutre. Ces questions, Henrik se les était déjà posées. Il savait combien elles étaient importantes pour eux, et combien leur importance ne cesserait de grandir, après, plus tard. Dans le feu de l'action, les plus primaires arrivaient à ne pas s'interroger sur le sens de ce qu'ils faisaient, mais plus tard, personne n'y échappait. Ils étaient tous là par choix. Depuis déjà deux ans, on n'envoyait plus au front les appelés. Ils étaient tous des soldats de métier ou des *kontraktniki*, engagés pour une période de un, deux ou cinq ans. Certes la paie était intéressante, dans les 400 euros, mais cela n'expliquait pas tout. À leur manière, ils étaient tous des patriotes, convaincus de servir une cause juste. La plupart du temps, cela se résumait à un simple «Je préfère défendre mon pays et ma famille ici, tant que c'est possible, plutôt que sur le pas de ma maison quand les Russes y seront». Les plus exaltés, les plus politisés, s'étaient convaincus qu'ils défendaient l'Europe tout entière – qui, elle, s'en contrefoutait – ou qu'ils étaient occupés à bâtir l'Ukraine de demain. Au café Out, un jour, un soldat d'une cinquantaine d'années avait dit à Henrik : «Je ne verrai jamais ce pays changer, se moderniser, devenir plus juste. Pour nous, c'est trop tard. Mais si on ne se bat pas, nos enfants n'auront même plus cet espoir.»

— Je crois qu'on vous oubliera, finit-il par dire. À Kiev, la guerre a déjà disparu. Quant au reste du monde, il voit un conflit exotique, une lutte entre sauvages de la steppe. Pour les uns vous êtes les Hutus, pour les autres les Tutsis, mais qui se fout des Hutus et des Tutsis ? Vous-mêmes, vous sauriez me dire ce qui s'est passé en Transnistrie en 1992 ? Qui étaient les bons, qui étaient les méchants ? Personne n'a envie de se souvenir de la guerre. Ou plutôt si, mais des noms de bataille, des chefs, des symboles… On dira que quelques types courageux ont été au casse-pipe face aux chars russes, puis qu'ils se sont enterrés dans des tranchées, et c'est tout. Dans dix ans, quand vos potes culs-de-jatte feront la manche dans le métro de Kiev, les gens détourneront le regard, puis ils se rappelleront que là-bas, à l'est, il y a un bout de territoire pour lequel on s'est battu. Pour lequel on se battra peut-être encore.

Henrik s'interrompit brutalement. Cela faisait longtemps qu'il n'avait pas parlé aussi longtemps. Il s'était laissé emporter et transpirait légèrement. Le policier ne se souciait pas vraiment d'avoir heurté les gars de la casemate, mais il se rendait compte qu'il ne croyait pas entièrement à ce qu'il avait dit. C'est sa propre frustration afghane qu'il avait criée. En réalité, les deux situations étaient différentes. Quand ils étaient rentrés, eux, le pays ne les avait pas simplement oubliés, il leur avait tourné le dos. Aux yeux de leurs concitoyens, cette guerre qu'ils étaient partis mener contre les moudjahidin était devenue au mieux absurde, au pire injuste – « impérialiste », disait-on, une insulte qui talonnait « fasciste » au panthéon des

116

termes infamants de l'époque communiste. On faisait d'eux non pas des héros, mais des assassins. Et pourtant, Dieu sait combien ils auraient voulu ressembler à leurs pères rentrant de Berlin…

Les combattants du Donbass, eux, avaient un pays derrière eux. Ils se battaient sur leur terre, pas sur un sol étranger et lointain. À l'époque, le pouvoir soviétique cachait jusqu'au bout aux soldats leur départ pour l'Afghanistan. On s'entraînait, pour les plus chanceux, puis direction Douchanbé, le Tadjikistan soviétique, et enfin l'Afghanistan. Ceux du Donbass, qu'il s'agisse des paysans, des chauffeurs de taxi ou de la fine fleur de la jeunesse ukrainienne, savaient ce qu'ils venaient faire là. Ou croyaient le savoir.

Une voix rompit le silence.

— Tu parles comme Serguëï. Lui aussi disait qu'on nous avait oubliés, ici. Qu'il voulait bien être de la chair à canon, mais pas le dindon de la farce…

— Serguëï… Kovalko ?

— Kovalko. Il n'était pas pire que nous, ou moins courageux. Il supportait les privations, la boue, l'angoisse des combats. Mais pas l'attente, pas l'absurdité de cette guerre de position. Il n'en pouvait plus des ordres. Tu sais, quand on nous tire dessus, on doit téléphoner au commandant pour obtenir l'autorisation de répliquer. Et lui-même doit appeler, à Kiev, ces foutus généraux avec leur gros cul bien installé dans leur fauteuil. Bon, en général on s'arrange entre nous, mais ça pèse sur les nerfs, ce climat. Serguëï disait qu'on ne servait à rien, puisque l'objectif n'était plus de reprendre le Donbass, mais uniquement de tenir les positions. Beaucoup de gars chez nous sont convaincus qu'on a les moyens de balayer les séparatistes en trois jours.

— Et même ces Russes si terrifiants ! appuya Seva.

— Oui, même les Russes, confirma d'une voix sourde le premier. Quand ils ont fait intervenir leur armée, en 2014 et 2015, ils nous ont battus, mais avec de lourdes pertes. Peut-être deux mille tués... Ce n'est pas gérable pour le Kremlin, ça. Chez nous une mère peut comprendre que son fils est mort pour défendre la patrie, mais va expliquer à une mère russe ce que son fils était venu faire dans le Donbass... Un cercueil et ferme-la, petite mère. Tu auras peut-être droit à quelques milliers de roubles... Bref, Sergueï a commencé à disjoncter. Une nuit où il était de garde, il s'est mis à vider ses chargeurs en l'air en hurlant. Il y avait des moments où il était agressif, bagarreur, et d'autres où il était silencieux, sombre...

— Seva, pardonne-moi, mais... où est Sergueï ?

L'autre le regarda d'un air ahuri.

— Ce n'est pas pour ça que tu es là ? Sergueï est mort. Il s'est suicidé hier soir.

Henrik encaissa. Le soldat aurait réussi le tour de force de se faire arrêter sur une scène de crime puis de se suicider le même jour ?

— Eh ben, t'as beau être galonné, t'es pas bien informé, toi ! fit le jeune maigre en rigolant. On va finir par faire plus confiance aux canards qu'à la glorieuse police ukrainienne...

118

— Quoi, les canards ? bougonna Henrik.

— Ils sont toujours les premiers au courant quand la canonnade commence. Si tu vois les canards voler vers toi, rentre la tête et cours rejoindre un abri ! Avec leurs pattes palmées, ils sentent les vibrations dans le sol. Celles des coups de canon, par exemple…

Ces types portés sur l'ornithologie autant que sur les guerres napoléoniennes commençaient à taper sur le système du colonel.

— Qu'est-ce qui s'est passé avec Sergueï ?

— Il est rentré hier soir vers 20 heures, dans la voiture du chef d'unité. Il était agité, un peu bourré. On nous l'a envoyé, alors on a essayé de le calmer avec du thé et on l'a couché. Il geignait, parlait de sa fille, disait qu'elle lui manquait. À un moment, il est sorti pisser et on a entendu un gros boum. Quand on est sorti à notre tour, il y avait sa main devant la casemate. Arrachée par la grenade, en charpie. Et le reste de son corps un peu plus loin, près de la tranchée nord. Les officiers nous ont dit de faire le ménage et on a pensé que ça en resterait là, comme d'habitude. C'est pour ça qu'on était quand même un peu étonnés de te voir débarquer.

— Comment ça, comme d'habitude ?

— C'est pas le premier suicide, ni dans cette unité, ni dans cette brigade, ni dans toute la foutue armée ukrainienne. En général ils sont classés comme accidents ou morts au combat, pour ne pas faire de vagues. On a eu de la chance qu'il se fasse exploser dehors, pas dans la casemate… Il y a eu des cas de types qui se sont mis à mitrailler tous leurs copains avant de se tuer. Mais Serguei n'était pas un mauvais gars, il n'avait pas la haine, seulement beaucoup de tristesse et de fatigue.

— Depuis combien de temps il avait quitté la position?

— Hier matin seulement, dit le vieux Seva. On a vu qu'il déconnait plus que d'habitude, ces derniers jours. C'était mon idée, une idée à la con. J'ai été trouver le capitaine et je lui ai dit qu'il fallait donner quelques jours à Serguei. Qu'il aille voir sa famille ou se soûler la gueule, si ça lui chantait. Les siens ne sont pas loin, à Kramatorsk, c'est un gars du Donbass. Apparemment, il a commencé par la deuxième option et ça ne lui a pas réussi.

Seva et les autres étaient sincèrement tombés des nues quand ils avaient compris qu'Henrik ignorait le suicide de Kovalko. Il les imaginait mal mentir – et mentir aussi bien – sur l'emploi du temps du soldat. S'il n'avait quitté sa position que la veille, cela excluait la possibilité que le dépressif Serguei ait tué le petit Sacha. On ne s'esquivait pas si facilement que ça de la position Zenit pour faire une promenade. Il fallait un véhicule, et les absences étaient remarquées. Il lui faudrait dans tous les cas vérifier les informations sur une éventuelle permission auprès de la hiérarchie militaire, par voie officielle. Si tant est que cette permission ait été accordée officiellement et que les officiers ne trafiquent pas les papiers pour se couvrir. En attendant, Henrik était toujours aussi peu avancé. Il tournait en rond, comme une bête en cage. Pire : un touriste. Son enquête ne valait rien. Imprégné de l'odeur de poêle et de sueur de la casemate, il descendit la vitre de sa voiture. Même dans la nuit, l'air était devenu plus doux : le dégel était bien là. Le colonel se surprit à guetter dans le lointain le caquètement des canards.

L'homme arpentait d'un pas chancelant la rue principale d'Avdiïvka, avançant tant bien que mal tout en maugréant. L'éclairage public était aux abonnés absents et à chaque seconde il trébuchait dans une fondrière plus profonde que ses grosses bottes de laine. Seule la lune éclairait la façade sombre des immeubles lépreux. Il jura d'une voix mal assurée. Si au moins il avait une bagnole ! Il avait bu, beaucoup, et avait oublié de prendre gants et bonnet. En même temps, se dit-il, avec ce qu'il avait dans les veines, c'était l'accident assuré. Une explosion retentit à l'entrée de la rue, illuminant un instant un visage grêlé et maigre, posé sur un cou fin et trop long, la pomme d'Adam proéminente. L'homme était habillé d'une veste et d'un treillis militaires d'un autre âge. Il ressemblait à un pélican boiteux. Le sol trembla et l'homme jura : « Putain de ta mère ! » Au croisement de la rue Gagarine, il passa devant le Barocco. La boîte de nuit, ricana-t-il. Là où tous les tocards et les pédés se retrouvaient pour boire des vodkas à la pomme. Trois filles riaient fort devant la lourde porte de la discothèque. Aucun son ne s'échappait :

pas d'électricité, la sono était coupée. Ces abrutis devaient se trémousser au son d'un poste de radio minable, en s'éclairant à la bougie. Peut-être qu'il trouverait là quelqu'un prêt à lui payer un verre ? L'homme s'approcha de la boîte, trébucha et se rattrapa au rétroviseur d'une Porsche Cayenne. Un vigile s'avança, regard mauvais. «Casse-toi de là», cracha-t-il en direction du pochtron. Celui-ci continuait d'avancer. Il essaya de sourire pour rassurer l'autre mais ne parvint qu'à produire un rictus peu engageant. Il triturait le métal froid du couteau au fond de sa poche. Un balèze, ricana-t-il, du genre lent et lourd. Pas de quoi avoir peur. «Détends-toi, je veux juste boire un coup.» L'homme s'approchait encore, il était à moins d'un mètre du vigile. Il n'avait plus qu'à sortir le couteau et appuyer sur le bouton qui faisait jaillir sa belle lame. L'autre fut plus rapide. En une fraction de seconde, il écrasa son poing sur la face de l'ivrogne. Celui-ci fit trois pas en arrière mais se retint de tomber. Déjà ça que l'autre n'aurait pas. «La putain de ta mère», souffla-t-il, et les trois filles posées devant la boîte éclatèrent de rire. L'homme hésita à tenter un nouvel assaut, mais il savait que c'était peine perdue : il n'avait plus l'avantage de la surprise. Son nez pissait le sang. Il ramassa une pierre et la jeta en direction de la boîte de nuit. Il n'attendit pas de voir le résultat et déguerpit par la grand-rue, laissant derrière lui de vilaines taches de sang sur la neige.

Est-ce qu'il méritait d'être traité comme ça ? Juste

parce qu'il n'avait pas de fric, pas de grosse bagnole. Ces chiens n'avaient aucun respect. Il s'arrêta au beau milieu de la rue pour mettre de la neige sur son nez et pour pisser. Il n'avait plus 20 ans. De son temps, on n'aurait pas agi de la sorte. Pas avec un ancien combattant. Tous des fils de pute! Il se retourna en entendant des pas derrière lui. Une des trois filles du Barocco passait sur le trottoir opposé, la démarche légèrement titubante. Cette salope avait un bon cul et sûrement du fric. Elle était jeune à souhait, pas plus de 16 ans. Il la suivit discrètement sur une cinquantaine de mètres, regardant son cul se dandiner dans la jupe de cuir et ses talons slalomer habilement entre les flaques. Il s'approcha jusqu'à sentir son parfum. C'était facile, une opération commando pour gamin. La lame était déjà dépliée dans sa poche. Il fit un grand pas pour saisir la fille mais buta sur une plaque de béton abandonnée en travers de la chaussée et s'étala menton en avant sur le bitume. Putain d'alcool, il déconnait dans les grandes largeurs. Sa bouche puait le sang et l'amertume. La fille poussa un hurlement et lui flanqua un coup puissant dans le torse. L'homme sentit le bout effilé des chaussures à talons lui entrer dans les côtes. Il poussa un couinement aigu. La fille lui assena encore trois coups violents puis se cara-pata. «Sale pute, sale traînée, gémit l'homme, ville de pédés.» Ils ignoraient qui il était ou quoi? Que leurs gamins crèvent tous, puisque c'était comme ça. Ils ne pourraient s'en prendre qu'à eux-mêmes et à leurs gros culs de petits-bourgeois. L'homme se remit en route péniblement. Il ne lui restait qu'à essayer de gagner un peu de fric, tant pis pour ses côtes. Il trottina comme un chien blessé jusqu'au quartier de la gare et se joignit à un groupe d'hommes qui patientaient en ligne devant l'entrée nord de l'Usine. Un contremaître distribuait déjà des ordres. Les autres étaient silencieux, maussades. Quand ce fut son tour, le contremaître observa l'homme d'un air embêté. Celui-ci prit les devants.

— Tu es chef, mais tu as un bon fond, ça se voit. Laisse-moi travailler, je ne te décevrai pas.

Sa voix était pâteuse, sa mâchoire lui faisait mal.

Le contremaître l'observa encore un instant, dissimulant avec difficulté une grimace.

— Tu pues l'alcool et la bagarre, répondit-il finalement. Ici, ce qui compte, c'est la discrétion. Et de ne pas faire de grabuge. Pas de travail pour toi ce soir. Laisse-moi ton nom, la prochaine fois je te donnerai quelque chose.

— Ostapovitch, articula l'homme, Arseni Ostapovitch.

Le bar s'appelait Le Paradise et sa devanture promettait de la bière tchèque. Cela avait peut-être été vrai à une époque, mais Prague était loin, désormais. L'endroit ressemblait à n'importe quel café de la région, un bouge miteux pour prolos et alcoolos installé en sous-sol. Henrik y était arrivé vers 21 heures. Seul client. Le patron, trogne d'ancien mineur, lui avait adressé un léger signe de tête en guise de bienvenue. Henrik avait commandé une omelette au lard et de la bière.

Il était venu directement dans le quartier de la gare depuis la position Zenit. Il s'était seulement changé dans sa voiture, revêtant des habits civils plus discrets : pantalon de gros velours, pull en laine trop grand pour lui et une veste de cuir par-dessus. Ses chaussures étaient encore maculées de boue.

Deux types étaient entrés sans un regard pour Henrik. Ici, on ne le connaissait pas. Le colonel avait commandé une autre bière, les types avaient fait pareil. Ils étaient tous les deux en bleu de travail siglé de l'emblème de la cokerie. Cela ne voulait pas dire grand-chose. La moitié des hommes de la ville revêtaient des uniformes semblables quand ils partaient pêcher ou chasser : tout le monde en avait.

Les gars parlaient foot. Le Chakhtar Donetsk venait d'échouer en huitième de finale de la Ligue des champions, battu par l'AS Rome, et visiblement cela les chagrinait. Le club régional avait beau évoluer désormais dans l'ouest du pays, après avoir fui dès 2014 les combats, il restait leur club. Celui des mineurs et des métallos. La dernière gloire du Donbass.

La conversation s'étirait. Dans ce sous-sol éloigné, on n'entendait pas l'écho de la guerre, et les gars sirotaient tranquillement leurs bières. L'un d'eux se leva.

— On embauche, vieux ?

— On embauche.

Selon toute probabilité, ils allaient prendre leur service de nuit à l'Usine. Comme les mines, la cokerie ne s'arrêtait jamais : la machinerie était trop lourde, au moindre arrêt il fallait plusieurs jours pour faire repartir les installations. Depuis le début de la guerre, la direction de l'Usine n'avait dû se résoudre à stopper les fours que quelques jours, quand les bombes s'abattaient directement sur les bâtiments de métal. Et encore avait-elle affronté un début de fronde. Les ouvriers étaient scandalisés que l'on sacrifie leur outil de travail sur l'autel de la guerre.

Henrik attendit un instant puis emboîta le pas aux deux hommes. Ils passèrent devant l'entrée est de l'Usine mais ne s'y engagèrent pas. À la place, ils continuèrent leur chemin d'un pas lent entre les barres grises des immeubles, suivant sur près de deux cents

mètres le tracé de la vieille voie ferrée, puis par-
vinrent à un grand espace dégagé où de petits groupes
attendaient, éclairés seulement par la lune. Henrik
reconnut le terrain vague triste et abandonné où l'on
avait retrouvé le petit Sacha. Des camions arrivèrent,
roulant au pas, phares éteints. Les chauffeurs sau-
tèrent des véhicules. Au même moment, dix ouvriers
de l'Usine approchaient en poussant des wagonnets
sur les rails. Ils en sortirent de lourdes caisses de bois
qu'ils disposèrent devant les semi-remorques. Ceux
qui fumaient jetèrent leur cigarette comme un seul
homme et se mirent à décharger les camions. Ils en
sortaient des sacs de jute de tailles diverses, des cartons, des caisses.

Henrik profita de l'agitation pour se faufiler dans
un coin du terrain vague. Il s'accroupit à l'abri d'un
talus, protégé par l'ombre des immeubles. Il y avait
peu de place pour le doute : Henrik reconnaissait ces
gros sacs de jute, ils contenaient du charbon. Les
camions étaient arrivés par le sud. Ils ne pouvaient
venir que du territoire séparatiste. Le policier ignorait en revanche ce que contenaient les caisses et les
cartons. Ceux que les hommes chargeaient dans les
wagonnets prenaient la direction de l'Usine, comme
le charbon. Ceux qui avaient fait le chemin inverse
repartaient sans doute vers Donetsk.

Henrik s'allongea dans la neige pour observer plus
tranquillement la fin des opérations. Il leva les yeux
vers les immeubles et aperçut l'appartement du petit
Sacha. Il y faisait noir. L'enfant avait sans doute

eu le loisir de regarder le va-et-vient des camions et des ouvriers depuis sa fenêtre. Est-ce pour cela qu'on l'avait tué ? Cela paraissait invraisemblable. La contrebande de charbon séparatiste était de notoriété publique, que pouvaient craindre ses organisateurs d'un petit garçon trop curieux ? Henrik lui-même connaissait l'existence du trafic depuis plusieurs mois. Seuls les circuits utilisés par les trafiquants changeaient. Des trains entiers d'anthracite franchissaient parfois la ligne de front sans que personne s'en émeuve. Le policier ignorait que le terrain vague du quartier de la gare était utilisé comme plate-forme logistique, mais le secret n'était pas si sensible. Hormis quelques groupes de nationalistes exaltés, personne ne semblait déterminé à lutter réellement contre la contrebande de charbon séparatiste. Les sommes en jeu étaient trop importantes. Même si l'enfant avait voulu dérober quelques miettes de charbon, cela valait-il la mort ? Et les caisses de bois, pensa Henrik, quel secret recelaient-elles ? Était-ce pour protéger ce mystère qu'on avait tué Sacha ?

Les premiers frissons s'emparèrent brusquement du corps du policier, s'insinuant sous sa peau pour attaquer les chairs soudain à vif. Il sentit ses muscles se tendre douloureusement sous ses habits, la neige mouillée lui comprimait la poitrine et son cœur battait à tout rompre. La tête lui tournait. Il esquissa un mouvement du haut du corps pour dégourdir ses membres endoloris mais ceux-ci refusèrent d'obéir. Ce n'était pas seulement le froid. Son cerveau mit quelques secondes à assimiler ce que son corps lui criait. Le talus derrière lequel il s'était abrité était celui sur lequel le corps de Sacha Zourabov avait été retrouvé. À l'instant où il enregistrait l'information, il crut sentir l'odeur du sang gelé près de son visage. C'était impossible, et pourtant la présence de l'enfant irradiait les lieux.

Le policier voulut se lever, s'enfuir, mais il se retint. Les hommes empilaient désormais les sacs déchargés des camions à quelques mètres de lui. Il s'enfonça encore un peu plus dans le sol. La neige avait presque fondu et il sentait la terre sous son ventre. Il crut distinguer dans le sol le trou qu'avait fait le poignard en transperçant le ventre du petit Sacha. Il oublia les hommes qui juraient à voix basse autour de lui et ferma les yeux. Une larme salée s'échappa, coulant sur sa joue. Il sombra. Depuis combien de mois, combien d'années n'avait-il pas rêvé?

Les mouches tourbillonnaient dans l'air saturé de poussière. Elles étaient toujours là lorsque la température montait en flèche, après le déjeuner. Elles ne craignaient plus les hommes, elles les confondaient avec les cadavres dont elles se repaissaient. Henrik voulut les chasser, mais l'air brûlant interrompit son geste. Sa main retomba, inerte, sur le sol sablonneux d'Afghanistan. Le contact était étrange, sa main lui parut froide. L'air autour de lui était sec, chauffé à blanc par le soleil de midi, mais son corps était comme étranger à la touffeur. Autour de lui, des hommes s'agitaient. Ils s'interpellaient à voix forte, en russe, et chacune de leurs phrases était entrecoupée de jurons. Henrik ouvrit péniblement les yeux, les paupières en feu. Les hommes étaient peu nombreux, cinq ou six, portant des uniformes recouverts de poussière et des kalachnikovs. L'un d'eux pointait une mitrailleuse vers le soleil et riait. Son corps était bardé de longues bandes de munitions. Des flammes jaillissaient de maisons écroulées, des poutres arrachées finissaient de se consumer. Des détonations retentissaient dans le brasier. Henrik voulut crier aux hommes de cesser leurs tirs, mais aucun son ne sortit de sa bouche. Seul le rire du soldat à la mitrailleuse lui répondit. Il tourna péniblement la tête et vomit. Un enfant était étendu à ses côtés sur une large planche, une simple porte de bois sortie de ses gonds. Il ne bougeait pas, la face tournée vers le soleil, sa bouche entrouverte laissant s'échapper un mince filet de sang. Le visage juvénile était mat et lisse, surmonté d'un turban typique du Nord afghan. Henrik sentit soudain entre ses doigts le contact du métal et il reconnut instantanément la forme des tiges de fer froides : des clous, des clous rouillés. Il se souvint à quoi avaient servi les clous. Il aurait donné sa vie pour ne pas tenir ces clous dans sa main. Il lui fallut un temps infini pour parvenir à baisser les yeux. Il ouvrit les paumes. Elles étaient vides.

Le général Vassilkov, si attaché à la discrétion, aurait été effaré de voir la foule dense rassemblée devant l'église Saint-Nicolas, à un jet de pierre de la gare désaffectée. Le terre-plein qui s'étendait devant l'édifice était noir de monde. Henrik avait été naïf de croire que l'enterrement de Sacha Zourabov se ferait dans l'intimité. Si son coupable était présent, il était noyé dans la foule massée qui attendait en silence la fin de l'office et la sortie du petit cercueil. Tout Avdiïvka semblait s'être donné rendez-vous à l'église, sans oublier ceux venus des villages voisins, des campagnes. Henrik voyait des visages bouffis de paysans, des femmes en chaussons de feutre. Combien de kilomètres avaient-ils parcourus sur leurs tracteurs pour communier avec leurs semblables de la ville ? Les hommes avaient enlevé leurs coiffes et gardaient la tête baissée pendant que leurs grosses bottes s'enfonçaient dans le sol boueux. Plusieurs dizaines d'ouvriers de l'Usine étaient venus en tenue de travail. Leurs uniformes bleu et orange donnaient à la foule sombre des teintes bigarrées. Ils se tenaient épaule contre épaule, visage fermé, comme si la raideur de leurs traits pouvait faire obstacle au malheur. Les femmes apprêtées, élégantes dans leurs doudounes claires, se mêlaient aux hommes au torse large, vêtus de vestes de cuir noir. Ceux du Donbass arboraient tous ce style hors d'âge. Des prolétaires, des gros bras. Il n'y avait pas de place pour l'exotisme et un survêtement Adidas était une tenue de fête.

Seuls les enfants manquaient à l'appel. Personne, parmi les adultes, ne semblait avoir eu le cœur de les convier à cette célébration pourtant donnée en l'honneur d'un des leurs.

Du dehors, on ne discernait pas les chants venus de l'église, mais la foule tanguait au rythme d'une mélodie qu'elle seule paraissait entendre. Le ciel était bas et blanc, il absorbait les prières sans rien rendre. Les canons se taisaient, rendus muets par la solennité de la cérémonie.

Le cœur d'Henrik se réchauffait peu à peu, le policier se sentait ragaillardi par la présence des siens. Avdiïvka faisait corps. Ses habitants étaient prêts à encaisser beaucoup : la guerre n'était qu'une catastrophe supplémentaire dans la litanie des épreuves qui avaient balayé les steppes du Donbass. Les coups de grisou, la disparition d'un pays tout entier, la fermeture des mines, et même la misère sauvage des années quatre-vingt-dix, quand on se faisait assassiner en sortant sa poubelle, tout cela était injuste, incompréhensible, mais chacun y distinguait un ordre des choses. Certes mystérieux, mais où devait bien se cacher une logique supérieure. Le meurtre d'un enfant était différent. On touchait là au sacré, à l'interdit suprême. Les habitants du Donbass y voyaient une négation de ce à quoi leur vie se raccrochait envers et contre tout depuis vingt ans.

Chacun ressentait le besoin animal de communier, de sentir la présence d'un semblable à ses côtés, un qui vous comprendrait sans échanger de mots. Quelques militaires étaient venus en uniforme, sans armes, et se tenaient discrètement dans les dernières rangées. Leur présence avait été acceptée par la foule – personne n'était en état de fixer de frontière à la communauté des vivants. Seule incongruité, une unité des forces antiémeutes avait été positionnée en retrait, prête à contenir tout mouvement hostile de la foule. Trouvaille géniale de Vassilkov ou de Balouga à laquelle Henrik n'avait pas été associé, signe de l'estime dans laquelle on tenait le chef de la police.

Le colonel était arrivé en retard, et il n'était pas mécontent de se trouver hors de l'église, où s'entassaient les VIP de tout poil. Son amie Ioulia, deux rangées devant lui, lui offrait la vue de sa nuque gracile. Il aurait aimé l'effleurer, ou au moins croiser le regard de la jeune femme, mais celle-ci restait obstinément immobile, les yeux fixés vers la porte de l'église. Ioulia s'appuyait contre la vieille Antonina Gribounova. Henrik ignorait que les deux femmes se connaissaient, mais la vieille savait garder ses secrets. Autour d'elle, tout l'aréopage des retraitées du Vieil-Avdiïvka était réuni, grands-mères chancelantes que la succession des drames ne semblait pas pouvoir renverser. Les quelques vieux qui accompagnaient les vieilles se tenaient dignement, la tête bien droite, alignés comme des quilles branlantes, survivants pitoyables tassés sous des chapeaux.

Les yeux d'Henrik allaient de l'un à l'autre, égarés par la densité des dos, des nuques. Jusqu'à quel point appartenait-il à cette communauté, celle des vivants, des épaules collées les unes aux autres? Il était loin, incapable de communier avec la foule, gardant enfouie bien au fond de lui sa tristesse. Celle-ci venait aussi bien de la pâleur du ciel que de la fragilité de ce morceau de peau qu'il apercevait deux mètres devant lui. L'absence d'explosions, même, le plongeait dans une étrange torpeur. Il se faisait l'effet d'un soldat au repos, incapable de ressentir la caresse d'un soleil matinal après une nuit passée à affronter la mort au front. N'est-ce pas ce qu'il avait fait? Les derniers frissons de son cauchemar afghan continuaient de courir sous sa peau. Il avait dans la bouche un goût de poussière et de clous. Qu'avait-il vu dans sa fièvre nocturne, allongé dans la neige à la place du petit Sacha? Le garçon cloué à sa porte éveillait en lui une réminiscence indistincte, pas encore un souvenir, mais un vestige dont l'odeur était celle de la mort. À son réveil, au milieu de la nuit, trempé de neige et de boue mouillée, un mot, un nom lui était resté: Talukan. Au matin, Anna l'avait trouvé en sueur dans le lit. C'était une chance qu'il ne soit pas tombé malade: son corps osseux et fatigué était prêt à lui accorder quelques années encore.

Les cloches sonnèrent au moment où les premiers officiants apparurent sur le seuil de l'église. Les notables sortaient en premier, descendant les marches en petit cortège, visages empruntés et gestes lents. Le chef des services d'urgence marchait appuyé au bras du directeur de l'hôpital, un homme sec et compétent dont Henrik admirait le dévouement. Les fonctionnaires de la mairie suivaient, masse indistincte de costumes de soie grise brillante. Seule la cheffe des approvisionnements, un poste stratégique qui donnait la haute main sur tous les appels d'offres, détonnait, engoncée dans un manteau de fourrure violet. Son rouge à lèvres et sa coupe de cheveux, savamment montée en une sorte de choucroute aérienne, étaient dans les mêmes tons, accentuant l'air sévère que ses joues tombantes ne suffisaient pas à effacer. Hormis la couleur de son manteau, elle paraissait sortie tout droit des tréfonds de l'Union soviétique, remontée à la surface après des années en immersion. À vrai dire, il n'y avait pas besoin de chercher aussi loin : l'Ukraine, la Russie comptaient encore des armées de ces fonctionnaires repus et pénétrés d'importance. Ils étaient communistes, nationalistes, opportunistes. Peu importait, tous conduisaient les mêmes Mercedes, s'offraient les mêmes banquets pantagruéliques où l'on discutait de la meilleure façon de siphonner les finances du pays ou du meilleur marbre à installer dans l'entrée de leurs demeures. Même Levon Andrassian, le directeur de la cokerie, avait pris sa matinée, entouré de sa garde rapprochée d'attachées de presse et d'officiers de sécurité. Il avançait nu-tête et Henrik crut lire un désarroi sincère sous ses traits caucasiens empâtés. C'était lui le vrai maître de la ville, et il était le seul qui n'avait pas besoin de se composer une mine de circonstance. Le général de police Vassilkov apparut à son tour, entouré d'une armée d'officiers portant des attachés-cases. Balouga était sur ses talons, à l'aise dans son rôle de chef putatif de la police d'Avdiïvka.

Quand il eut atteint le terre-plein, Vassilkov se dirigea droit vers Henrik, son visage rond orné d'un sourire sympathique et engageant. Le général était un bon vivant, et apparemment il ne tenait pas rigueur à Henrik de ses absences répétées ni de l'absence totale de progrès de son enquête.

— Tu es venu sans ta femme, Henrik ? demanda-t-il à son subordonné.

— Salut, général ! répondit Henrik avec une courtoisie non feinte.

Cela faisait bien six mois qu'il n'avait pas vu Vassilkov, et la mine réjouie du général avait quelque chose de rassurant.

— Tu sais, reprit le colonel, c'était un peu dur pour Anna, cette cérémonie. Elle a préféré rester à la maison.

— Je comprends, je comprends, coupa le général. Écoute, je file à Kiev cet après-midi, je voulais juste te saluer et te prévenir. Vogue droit, cela va secouer par chez toi. Ceux d'en face préparent quelque chose de gros. Des dizaines de tanks ont traversé la frontière russe, et ta foutue usine pourrait bien être la cible. Et avec elle toute ta ville. Ils n'ont jamais digéré de nous l'avoir laissée. Au fait, Henrik, tu admires ce silence ? ajoute Vassilkov, la face cette fois fendue d'un large sourire. C'est moi, conclut-il en s'éloignant dans un grand éclat de rire, paraissant avoir déjà complètement oublié la cérémonie.

Foutue guerre, pensa Henrik non sans une pointe d'admiration pour son chef. On s'entre-tuait depuis quatre ans, on s'évertuait à vider consciencieusement les stocks d'armes et de munitions inépuisables de la glorieuse Union soviétique, mais quand les grands chefs le décidaient, on était capable de s'entendre : Vassilkov avait réussi à négocier une trêve pour la durée de l'enterrement. La chose n'était pas rare, et les commandants des deux camps pouvaient se mettre d'accord, sur la portion de front qu'ils contrôlaient, sur des cessez-le-feu temporaires, le temps de récupérer leurs cadavres ou de réparer des infrastructures endommagées dans le no man's land. Le général avait au moins ce mérite : contrairement à Henrik, il était capable de voir plus loin que le bout de son nez. Henrik ne serait jamais général.

Alina Zourabova apparut sur le perron de l'église, accompagnant le cercueil où reposait son enfant. La partie supérieure de celui-ci avait été laissée ouverte, selon la tradition orthodoxe, et le visage du garçon faisait face au ciel. Henrik essaya de croiser le regard d'Alina. Il aurait voulu lui sourire, sans savoir s'il en était capable. La jeune femme ne le voyait pas, fixant un point imaginaire au-delà de l'horizon. Peut-être y contemplait-elle des temps heureux faits de ciels sans orage, de départs au travail joyeux, de baisers tendres sur le front de son unique fils.

Le petit cercueil arrivait en bas des marches. La foule fut saisie d'un frémissement étouffé. Henrik vit la nuque de Ioulia disparaître lentement. La jeune fille s'agenouilla, tête baissée. Aussitôt, ses voisins l'imitèrent, puis des dizaines d'autres. Tout autour d'Henrik, la foule suivait. Les hommes en costume, les soldats en uniforme, les femmes en belle robe plantaient leur genou dans la boue froide, baissant la tête au passage du cercueil. Même les vieilles inclinaient maladroitement leur vieux corps. Seuls restaient debout quelques invalides. Henrik n'avait jamais vu une telle scène. Aucune coutume de la sorte n'existait dans le Donbass. On avait commencé à mettre genou à terre dans l'ouest du pays, dans les Carpates et la Galicie, au passage des convois funéraires ramenant dans leur village les soldats tombés au front. Les corbillards, simples Lada aménagées, parcouraient des kilomètres et des kilomètres sur des routes aussi défoncées que celles du Donbass, accompagnés par les prières silencieuses de centaines de villageois agenouillés. Elle existait donc, se dit le policier, cette unité qui faisait défaut à l'Ukraine, cette identité introuvable. Dans la mort.

Henrik, lui, avait seulement incliné le haut du corps et baissé la tête. Toujours le même refus de faire corps, la réticence à se joindre à la masse. Il connaissait trop bien les extrémités dont celle-ci était capable. Elles pouvaient être lumineuses, comme ce matin de mars où des centaines de têtes s'inclinaient devant un cercueil d'enfant, ou terribles. C'est la foule qui avait décidé de la guerre. La foule qui avait convoqué le vieux démon de la haine. Les frustrations et les rancœurs de chacun s'étaient mêlées, assemblées pour ne former plus qu'une colère sauvage, un amas de fureurs. La fierté bafouée des mineurs, l'humiliation trop longtemps ravalée des pères de famille au chômage, la stupéfaction des vieux cueillis par un monde nouveau et incompréhensible, la rage des jeunes réduits à la rapine, tout cela avait coagulé dans le cri le plus primitif qui soit : celui de la violence. La propagande haineuse distillée par Moscou, les stocks d'armes envoyés à travers la frontière, l'arrogance et les erreurs en cascade de Kiev n'avaient été que des étincelles.

Devant lui, dans le groupe des retraitées du Vieil-Avdiïvka, Henrik aperçut une silhouette familière. Elle se tenait très droite, le dos et la nuque raides. Les autres vieilles l'avaient acceptée dans leur groupe mais semblaient maintenir avec elle une distance, autant que la foule compacte le permettait. Henrik la reconnut à ses cheveux gris, raides eux aussi, qui tombaient en longues mèches sur une robe de grosse laine gris sombre. Elle non plus ne s'était pas agenouillée. Loussia Louzovitch était pourtant plus jeune que les autres. Peut-être 70 ans, calcula Henrik. Cela faisait près de deux ans qu'il ne l'avait pas croisée et le malaise du colonel était toujours le même que trente ans auparavant. En 1988, il était rentré d'Afghanistan dans le même avion que son fils, Alexeï. Henrik était vivant, après ses deux ans de service. Alexeï, Aliocha, revenait dans un cercueil de zinc, tué seulement trois semaines après son arrivée à Kandahar. Henrik ne l'avait connu que le temps de ce voyage de retour, lui assis à contempler les nuages de sa terre natale, l'autre dans la soute.

Loussia Louzovitch était concentrée sur la procession. Sa tête pivotait au rythme lent de la progression du cercueil. Henrik croyait même distinguer les yeux de la vieille femme posés sur Alina Zourabova. Cette vision, cette certitude que la mère du fils disparu depuis si longtemps contemplait la jeune mère éplorée fit frissonner Henrik. Quel écho la mort du petit Sacha Zourabov éveillait-elle en Loussia Louzovitch pour que celle-ci soit sortie de la tanière qu'elle ne quittait plus jamais?

La foule s'écoulait à présent sur la rue qui menait au cimetière. Elle était moins dense, beaucoup de ceux qui avaient assisté à l'office repartaient de leur côté. L'enterrement se ferait dans l'intimité, si bien sûr les notables daignaient laisser Alina Zourabova à son chagrin. Henrik hésitait sur la conduite à tenir, quand il sentit une présence derrière lui. Arseni Ostapovitch marchait à grands pas dans sa direction, de sa démarche bizarre d'autruche. Il eut envie de le chasser d'un geste, mais l'autre avait l'air si agité, les lèvres tremblantes, que le colonel ralentit.

Il y avait aussi le respect dû à un ancien camarade de combat, aussi atteint soit-il. En ville, les plus bienveillants attribuaient les sautes d'humeur d'Ostapovitch aux séquelles de l'explosion de son blindé sur une mine dans les environs de Jalalabad. Les autres disaient simplement qu'il était revenu cinglé d'Afghanistan. Cela revenait à peu près au même et l'explication avait pour avantage de clore les conversations. Arseni avait quelques années de moins qu'Henrik. Il n'avait servi sous les ordres du policier que quelques mois et les deux hommes n'avaient jamais été proches, mais Henrik ne pouvait balayer cette expérience commune d'un revers de la main, quand bien même l'autre le mettait mal à l'aise. L'Afghanistan lumineux l'avait assailli dans son rêve et avait apparemment décidé de le poursuivre jusque dans le cimetière d'Avdiïvka. Son ancien subordonné gagnait un peu d'argent en se livrant à de menus trafics ou en s'employant à la journée sur des chantiers de construction. Il était plutôt doué, disait-on, mais son tempérament belliqueux en faisait un employé peu recherché. Lorsque ses crises surgissaient, il pouvait devenir agressif, chercher la bagarre avec le premier venu. Il était arrogant et méprisant, fier, prenait la mouche pour un rien. Les hommes d'Henrik avaient dû le coffrer à plusieurs reprises. Cela lui arrivait aussi de passer des jours entiers seul, retranché chez lui.

Henrik remarqua son visage tuméfié lorsque l'autre approcha. L'arête de son nez était fendue, son œil gauche cerné d'un coquard et ses lèvres avaient doublé de volume. L'ensemble donnait à son visage sec un air vaguement comique, d'autant plus qu'il s'efforçait de masquer son air hautain derrière un sourire le plus aimable possible.

— Arseni, comment vas-tu ? demanda Henrik en tendant la main à son ancien subordonné. Mauvaise rencontre ?

L'ancien soldat ne releva pas. Il jetait des coups d'œil inquiets à droite et à gauche. Après un instant, il enchaîna :

— Mon adjudant, ça ne te rappelle rien ?

Arseni Ostapovitch s'adressait à Kavadze en employant son grade militaire, qu'on lui avait délivré à la toute fin de son service. Henrik ne savait pas s'il fallait y voir une moquerie : cela faisait des mois que les anciens compagnons d'unité ne s'étaient pas adressé la parole.

— Qu'est-ce qui devrait me rappeler quelque chose ?

— Ça, ça !

Fortement agité, Arseni désignait sa poitrine. Henrik remarqua d'abord la crasse qui maculait la veste de l'ancien soldat, puis il le vit former avec son pouce et son index un petit cercle qu'il plaça sur sa poitrine, bien au centre, au niveau du plexus.

Levon Andrassian s'était approché. Le directeur de l'Usine attendait visiblement qu'Arseni finisse son numéro pour s'entretenir avec Henrik. En attendant, il observait la scène avec un sourire un peu forcé.

144

— Le trou, reprit l'ancien soldat d'une voix caverneuse mais exaltée, le trou ! Le trou dans la poitrine du gamin assassiné !

— Qu'est-ce que ça devrait me rappeler ? s'impatienta Henrik. Sois clair !

— Ça ne te rappelle rien ? pouvait seulement répéter Arseni. Tu me déçois, mon adjudant. Creuse, creuse un peu ! Au fond de ta mémoire, je veux dire, pas au cimetière, ça puerait trop…

Apparemment satisfait de sa blague, l'autre s'éloignait déjà à grands pas. Henrik resta interdit une seconde. Si ce maudit Ostapovitch avait quelque chose à lui dire, qu'il le lui dise clairement. Henrik n'avait pas l'habitude qu'on joue aux devinettes avec lui. Il fit mine de vouloir le rattraper puis se ravisa. Levon l'attendait.

— Étonnant, ton animal, glissa l'Arménien dans un sourire.

— Pas seulement étonnant. Ça ne me plaît pas du tout, ce qu'il me raconte. Pauvre gars, tout de même…

— Tu es venu sans Anna, Henrik ? reprit Levon sur un ton exagérément grave.

Le colonel regarda l'autre d'un œil mauvais. Merde, on n'était tout de même pas à un événement mondain ! Il se radoucit en voyant un large sourire barrer à nouveau le visage du gros Arménien. Et puis si quelqu'un pouvait se permettre de lui parler de sa femme, c'était bien lui, Levon Andrassian. Privilège de grand blessé.

— Et toi, tu es venu avec ton ventre, Levon, je vois que les affaires vont bien.

Peu de monde à Avdiïvka pouvait se permettre de blaguer ainsi avec Levon Andrassian. L'Arménien était certes réputé pour sa jovialité, il n'en était pas moins le patron de la ville. Celui de l'usine de coke, en réalité, mais la nuance était ténue.

Kavadze et lui avaient grandi ensemble dans les faubourgs de Donetsk. Quand Henrik était parti pour l'Afghanistan, Levon s'était mis dans la roue de Rechat Izmaïlov, le plus prometteur des gangsters de la ville. Au début des années quatre-vingt-dix, Izmaïlov l'Ouzbek avait mené la guerre aux gangs rivaux. Ses hommes et lui affrontaient pistolet à la ceinture la bande du «Grec» et celle du «Juif». Donetsk ressemblait alors à Chicago, on ramassait les cadavres chaque semaine. À cette différence près que le Donbass était un territoire vierge : tout était à prendre, depuis le contrôle des trafics jusqu'à celui, beaucoup plus juteux, des entreprises d'État en déshérence. Izmaïlov avait été le premier à le comprendre. Plutôt que de perdre ses forces dans les fusillades, il s'était attaché à acheter la neutralité des autorités puis avait fait main basse sur les vestiges du communisme industriel. Il fallait un peu de capital, naturellement, mais surtout de l'audace et de la jugeote. Les ouvriers et les mineurs avaient reçu leurs parts des usines et des mines privatisées – les gangsters se mirent à les racheter aux malheureux, trop contents de s'en débarrasser : il fallait bien manger, et personne ne donnait cher de l'avenir de l'industrie régionale. Grave erreur ! Les sommes déboursées par les nouveaux barons n'atteignaient même pas la valeur du métal composant les carcasses des usines. La concurrence était féroce avec les anciens apparatchiks du régime : les « camarades » avaient eux aussi senti le vent tourner et abandonné les drapeaux rouges et les toasts embrumés à l'amitié entre les peuples pour devenir des « managers », les nouveaux loups du monde qui naissait. Une fois les cartes distribuées, les gangsters devinrent encore plus féroces, ils se disputèrent les plus beaux morceaux. Et là encore Izmaïlov s'avéra le plus doué. Pour prendre le contrôle d'un « objectif stratégique » (l'Ouzbek était un inconditionnel de *Dallas*), le bandit commençait par acheter un juge ou un petit fonctionnaire d'État. C'était facile : on les trouvait sur les marchés à vendre des tomates ou des blue-jeans importés de Turquie. Ceux-là fournissaient un titre de propriété en bonne et due forme, avec tampons homologués et autres joyeusetés de la sorte, puis Izmaïlov envoyait dix de ses gars déloger ses concurrents de « l'objectif » convoité, mine, usine ou encore entrepôt. Ceux d'en face avaient peu à peu compris le truc : ils cherchaient eux aussi des juges à corrompre, avec des tampons plus puissants que leurs rivaux, et transformaient les bureaux des usines en places fortes. Les enchères montaient vite. C'était à celui qui était le plus rapide et disposait des kalachnikovs les moins rouillées du marché.

Ces razzias étaient désormais de l'histoire ancienne.

Depuis une bonne dizaine d'années, Izmaïlov s'était acheté une respectabilité et était devenu l'un des roitelets du Donbass, un homme d'affaires puissant. Il discutait maintenant directement avec Kiev des grandes orientations de son groupe et obtenait des contrats mirobolants de l'État. L'ancien gangster se piquait de mécénat artistique et les députés qu'il s'était offerts au Parlement défendaient ses intérêts.

Levon Andrassian avait suivi la tendance. Il s'était révélé aussi adroit dans la gestion des livres de comptes que dans le maniement des armes. Depuis cinq ans, il dirigeait l'usine de coke d'Avdiïvka, l'un des fleurons de l'empire Izmaïlov. Levon représentait à lui seul la pointe avancée de la modernité en ville, l'avant-garde du capitalisme à la sauce ukrainienne. Il n'y avait qu'à voir les Nike Air immaculées qu'il arborait pour l'enterrement du petit Sacha. Henrik suivait la progression du groupe d'Izmaïlov à la croissance du ventre de son vieil ami et à l'évolution de ses chaussures. Au milieu des années quatre-vingt-dix, il l'avait vu troquer ses grosses bottes de moujik contre des mocassins en croco verts ou rouges que même les mafieux de Las Vegas n'auraient osé porter. L'entrée de son patron dans le monde du business légal avait conduit Levon dans celui des Berluti, tout aussi luxueuses mais moins tape-à-l'œil. Il sacrifiait à présent à la vague hipster en portant des baskets en toute occasion. Peut-être même disposait-il d'un coach personnel et d'un abonnement dans une salle de sport…

— Henrik, cette histoire pue, dit finalement Levon

d'un air inspiré, attrapant le policier par le bras pour l'emmener à l'écart.

— Sans blague ! Mais en quoi te concerne-t-elle ?

— Elle me concerne à deux titres. D'abord parce que je suis un bon citoyen et un père de famille, ne l'oublie pas. Je n'aime pas que les gosses d'Avdiïvka se fassent assassiner.

— « Les gosses » ?

— Tu as vu comment ce gamin a été tué. Tu crois que c'est quoi ? Une dispute pour des bonbons ? Toute la ville sait que seul un psychopathe tue comme ça, et qu'un psychopathe ne tue pas qu'une seule fois… Mais laisse-moi finir. Cette histoire me concerne aussi parce que j'ai une responsabilité vis-à-vis de cette ville et de ses habitants. Ils attendent de nous qu'elle ne se transforme pas en Far West. Toi, tu es payé pour ça. Moi, j'ai besoin d'un minimum d'ordre pour mes affaires. Et ce qui est important pour les affaires est important pour la ville. Tu sais que notre usine est sur la corde raide ? Notre coke est fabriqué quasi exclusivement à partir de charbon extrait dans les territoires occupés. C'est un équilibre subtil et fragile, le commerce avec l'ennemi.

— Parlons-en, de ton commerce avec l'ennemi ! Je te remercie de ne pas chercher à cacher l'évidence, mais je vais te dire à quoi cette affaire ressemble de mon point de vue : un gamin se fait trucider dans un coin de notre ville où quasiment personne ne passe, et il s'avère que ce coin est celui où tu mènes tes petits trafics. Pardon, ton commerce !

— Ton tableau est correct, et je peux t'assurer que tout ça m'embête autant que toi. Mais qu'est-ce que tu vas imaginer ? Que moi ou mes hommes avons tué le petit ? Parce qu'il avait découvert le grand secret de la contrebande de charbon… La belle affaire ! La moitié du pays se chauffe grâce à cette contrebande. Ce trafic, comme tu l'appelles… Les trois quarts des aciéries et des usines sidérurgiques de la région utilisent mon coke ! Et tout le monde s'en accommode, à part quelques nationalistes dingues qui menacent de venir bloquer nos précieuses cargaisons les armes à la main. Le charbon du sang, qu'ils disent ! Mais qu'ils aillent en acheter deux fois plus cher en Afrique du Sud si ça leur chante ! On verra combien de temps tiendra le pays. C'est précisément pour ça que j'ai besoin de discrétion, Henrik. Qu'on nous oublie, moi et mes hommes, qu'on nous laisse bosser tranquillement.

— Et l'argent que touchent les séparatistes de la vente de ce charbon, il est pour le bien du pays, lui aussi ?

— Des cacahuètes ! rugit l'Arménien en étouffant son cri. Bien sûr que les guignols d'en face prélèvent, taxent, rackettent, mais c'est de Moscou que vient l'essentiel de leur fric. Leurs foutues républiques sont financées aux trois quarts par le Kremlin, sans compter les tanks et le reste. Le charbon, en comparaison, c'est de l'argent de poche. Leurs édentés de chefs s'achètent peut-être de gros 4×4 avec, mais figure-toi, ça me laisse de marbre. Ne sois pas naïf, Henrik.

C'est quoi la guerre, sinon l'occasion de rebattre les cartes, l'opportunité pour les outsiders et les minables de se faire une place au soleil ?

— Les caisses que tu convoies dans l'autre sens, que tu envoies vers chez eux, c'est quoi ? Les pièces détachées des 4×4 ?

L'Arménien ne s'attendait visiblement pas à cette sortie. Il se reprit rapidement et répondit dans un éclat de rire :

— Tu es bien informé, Henrik ! C'est rassurant pour le bon père de famille que je suis, mais plus inquiétant pour l'entrepreneur… J'évite de le crier sur tous les toits, mais ma petite affaire a une autre contrepartie. Je suis obligé de composer avec l'armée : avec les généraux comme avec les officiers qui tiennent le front. Sans leur accord, impossible de faire passer mes camions de charbon, d'alimenter l'usine. Alors je leur ai proposé un arrangement. Ça fait des années qu'ils font de la contrebande dans leur coin, de la nourriture, de l'alcool, des produits de base dont les prix ont explosé à Donetsk. Jusqu'à présent, ils faisaient ça de façon chaotique, un camion de-ci de-là. Je leur ai simplement offert de profiter de ma logistique. Charge à eux de remplir les caisses, à moi de les convoyer. Ça m'évite de renvoyer mes camions à vide et je peux te dire qu'ils sont choyés aux check-points.

Il faudrait vérifier le contenu des caisses, se dit Henrik, mais l'explication était plausible. Les militaires se livraient bel et bien à la contrebande, cela aussi était de notoriété publique, et les efforts de l'État pour lutter contre les trafics étaient symboliques. Les officiers expédiaient du saucisson et de la vodka vers les territoires séparatistes et importaient de l'essence et des cigarettes. Seules les quantités variaient : plus l'on comptait de galons sur leurs épaules, plus elles augmentaient. Aucune des guerres que Moscou avait menées dans la région depuis les années quatre-vingt-dix n'y avait échappé : Transnistrie, Abkhazie, Ossétie… Les confettis de l'Empire étaient devenus des places fortes du trafic. L'éternelle loi de l'offre et de la demande… Difficile d'imaginer ce que le petit Sacha avait à voir là-dedans.

— Une dernière chose, Levon : tu peux répondre de chacun des types que tu embauches ? Personne n'a voulu faire de zèle ?

— Tu les connais, mes ouvriers. Ceux que j'embauche pour décharger mes précieuses cargaisons ne sont pas bien différents. Ce sont des gars comme toi et moi, Henrik. Des prolos. Certainement pas des pervers et des détraqués. Viens les interroger, si tu veux, je te donnerai tous les accès qu'il faut. Tu conduiras de beaux interrogatoires, aussi bien ficelés que celui que tu es en train de me faire passer ! Crois-moi, la dernière chose dont j'ai besoin, c'est de ce pauvre cadavre.

Levon avait baissé la voix. Son bras puissant désignait le cercueil qui s'éloignait au loin et son visage, à cet instant, portait la marque d'une affliction sincère. Henrik avait obtenu ce qu'il voulait. Il ne put s'empêcher d'insister.

— D'autant plus précieuses, tes cargaisons, que le charbon qui est extrait côté séparatiste appartient aussi à ton patron, dit-il d'un ton narquois. Ses mines chez ceux d'en face, ses usines chez nous..., il est doublement gagnant.

— S'il devenait perdant, tout le monde le serait, répliqua Andrassian d'une voix sombre. Tu crois que cette région a un avenir sans Izmaïlov ?

— C'est ce qu'il a essayé de démontrer après le Maïdan. Il a soutenu les séparatistes en sous-main, il leur a donné de l'argent, il a fait gonfler artificiellement le mouvement... Puis il est allé voir Kiev en proposant de ramener l'ordre. En échange, on ne touchait pas à ses affaires, on ne touchait pas au Donbass. Quel succès !... Sa créature lui a tout bonnement échappé !

— Il a joué et il a perdu, c'est vrai. Il n'imaginait pas que les séparatistes recevraient un tel soutien des Russes, et encore moins qu'ils oseraient s'en prendre à lui. Les choses sont devenues incontrôlables. Mais qu'est-ce qu'Izmaïlov pouvait faire ? Attendre que les gentils révolutionnaires de Kiev lui collent au cul des procédures judiciaires à ne plus savoir qu'en faire et l'évincent de toutes ses sociétés ? Ça leur ferait les pieds, aux gens d'ici, de passer sous la coupe d'un nouvel oligarque ! Un qui parlerait un bel ukrainien et serait copain avec le nouveau pouvoir... La vertu incarnée ! Le fait est qu'Izmaïlov est aujourd'hui à nouveau indispensable. Sans lui, tout s'écroule, ici comme chez ceux d'en face. Et s'il devait y avoir réunification, qui serait la seule personne capable de faire bosser ensemble tous ces dingues qui se tirent dessus depuis quatre ans ?

— Et tu me dis que ton Izmaïlov, qui s'est prudemment installé à Kiev, est très peiné de la mort du petit Sacha Zourabov ?

— Je te dis que les équilibres sont précaires. Tu te rends compte de ce qui se passe ici, Henrik ? Quinze mille personnes vivent dans ce trou, sur la ligne de front, et la ville tourne ! C'est un miracle. Il n'est possible que parce que chacun, à la place qui est la sienne, continue de faire son boulot. Le mien, c'est de faire que cette ville mange, qu'elle se gave d'anthracite comme elle l'a toujours fait. La guerre a seulement créé de nouvelles obligations. Quand il y a une coupure de courant, ce sont mes gars qui vont dans le no man's land réparer les installations. Toi, ton boulot, c'est de faire en sorte que l'ordre social ne vacille pas, guerre ou pas guerre. Crois-moi, Henrik, l'ordre social et les assassinats d'enfants, ça n'a jamais fait bon ménage.

— Qu'est-ce que tu me suggères ?

— Rien. Fais ton boulot sans trop faire de tapage, trouve le coupable. Ou trouve *un* coupable. Il faut que les esprits se calment.

— Il y aura du tapage, Levon. Qu'est-ce que tu crois ? Si ça continue comme ça, si je ne trouve rien, je serai bien obligé d'envoyer mes gars interroger tes ouvriers et retourner chaque centimètre carré de ton usine et des terrains avoisinants. Là, tu pourras dire adieu à ta chère discrétion.

154

— Fais ce que tu as à faire, mais il y a une seule chose que tu ne dois pas oublier… Nous sommes amis, Henrik. Tu as besoin de tes amis comme ils ont besoin de toi. Adieu, vieux frère, passe me voir à l'usine.

Le policier regarda l'autre s'éloigner avec mélancolie. C'était vrai, Levon et lui avaient été amis. Ils avaient grandi ensemble, dans le quartier Tekstilchiki de Donetsk, celui des racailles et des bandits. Ils avaient atterri à quelques années d'écart à Avdiïvka, ce coin perdu du Donbass, et l'avaient adopté. Tous deux étaient des rejetons des lointaines montagnes du Caucase, originaires de deux pays voisins que ni l'un ni l'autre n'avaient même visités. Leurs parents avaient été amenés dans le Donbass par la grande broyeuse des nationalités, quand l'Union soviétique envoyait dans les steppes ukrainiennes des prolétaires de tout l'Empire. Il y avait plus encore. Henrik avait perdu sa fille ; Levon avait perdu sa femme. Ces liens-là, ceux du sang et du charbon, ne s'effaçaient pas. Peu importe si leurs chemins avaient divergé… Henrik n'était tout simplement pas fait pour la voie qu'avait choisie Levon. Trop ou pas assez intelligent. Quand ils étaient rentrés d'Afghanistan, les types comme lui étaient incapables de s'adapter aux nouvelles réalités. Andrassian et les autres avaient déjà une longueur d'avance ; les anciens combattants, eux, pouvaient tout au plus jouer les porte-flingues. C'est ce qu'Henrik avait fait. Il s'était mis au service d'un employeur inconnu et fantasque. Une nouvelle venue aux méthodes brouillonnes : l'Ukraine.

Le colonel marchait en direction de sa voiture lorsque l'orage éclata, faisant trembler sa poitrine et le sol d'un même mouvement. Une dizaine d'explosions retentirent simultanément, au sud et à l'est, sur les deux fronts d'Avdiïvka, formant un grondement continu qui s'accrochait à l'âme et ne la relâchait qu'au bout de longues secondes. La guerre reprenait ses droits avec une rage renouvelée, comme si les quelques heures qu'on lui avait arrachées offensaient son bon droit, menaçaient sa belle mécanique. Les artilleurs des deux camps s'en donnaient à cœur joie, ils rattrapaient le temps perdu. Ceux qui s'étaient attardés sur le parvis de l'église se mirent à courir. Eussent-ils tenu des parapluies que l'on aurait cru à une foule se dépêchant de rentrer à la maison avant la pluie. On préférait mourir chez soi, entouré des siens, plutôt que sur un terre-plein pelé et anonyme. Là-bas, dans le cimetière, la cérémonie devait se poursuivre. Peut-être les bombes avaient-elles éclaté au moment où les fossoyeurs descendaient le petit cercueil en terre. Les prêtres devraient hausser la voix et espérer que leurs prières couvrent le fracas. Le général Vassilkov avait compté un peu juste, mais il y avait peut-être là une logique, se dit Henrik. L'enfant avait vécu la majorité de sa vie dans la guerre. Elle l'accompagnerait jusqu'au bout. Jusqu'à la tombe, son visage serait éclairé par les flashs des explosions.

Une main ferme empoigna le bras du policier alors qu'il s'apprêtait à monter dans sa voiture. Il se retourna, prêt à écarter l'importun avec mauvaise humeur, mais arrêta son geste quand il vit le regard sévère de Loussia Louzovitch posé sur lui. Henrik sentit ses muscles l'abandonner. Loussia paraissait minuscule dans sa longue robe grise. Elle arrivait à la poitrine du colonel, terrifiante souris à la peau rêche. Elle le fixa plusieurs longues secondes sans rien dire, d'un regard dur, transperçant, dissimulant mal son agitation.

— Loussia Fedorovna…

Il s'était souvenu instantanément du patronyme de la vieille femme. Celle-ci ne le laissa pas poursuivre.

— Vous comprenez, vous, n'est-ce pas ?

Encore une devinette… L'orage grondait.

— Vous comprenez cette douleur…, la perte de son enfant ? Vous avez observé la mère du petit, aujourd'hui ? On croirait presque, en la regardant, que ça va aller… Elle se tenait là, droite, entourée… Un être humain ! On se dit que la vie va reprendre son cours. Elle est encore jeune, après tout… Mais ça ne va pas aller ! Jamais. Et vous, vous le comprenez, Henrik.

Le son produit par la voix de Loussia Louzovitch avait rompu l'enchantement. Henrik sentait ses muscles lui revenir. Il était brûlant de tension et de colère. Est-ce que tous les cinglés d'Avdiïvka s'étaient passé le mot pour tenter de lui faire perdre la boule ? Bien sûr qu'il comprenait ! Bien sûr qu'il se souvenait ! Quelques bombes qui éclataient dans le lointain pouvaient-elles suffire à effacer ce souvenir ? Lena était morte le 27 mai 2004, fauchée à bicyclette par un camion qui pesait près de huit cents fois son poids, alors qu'elle débouchait sur la grand-route de Makeevka habillée de sa petite robe d'été rouge. Elle avait 14 ans. Cette année-là aussi, on avait fait la révolution en Ukraine. Il n'y avait pas de rémission après cela. Ce 27 mai, Henrik irait comme chaque année porter des fleurs sur la tombe de la petite. Avec Anna. Cet anniversaire lui faisait peur : bientôt, la part de sa vie passée sans la compagnie de Lena dépasserait celle passée avec elle.

Oui, il comprenait la douleur d'Alina Zourabova et celle de Loussia Louzovitch. Il éprouva une violente pitié pour la petite femme qui se tenait en face de lui. Voilà pourquoi la vieille souris était sortie de chez elle : pour vérifier que les choses étaient toujours à leur place, qu'une mère qui perd son fils restait une mère qui perd son fils. Que les cimetières, qu'ils soient soviétiques ou ukrainiens, étaient toujours le pire lieu du monde pour les mères.

À peine Henrik eut-il acquiescé d'un léger signe de la tête que l'autre reprenait d'une voix saccadée, avalant les mots, comme si ce qu'elle avait à dire relevait de l'urgence la plus absolue :

— Et pourtant, vous ne comprenez pas, Henrik, vous ne comprenez qu'à moitié. Vous ne pouvez pas tout comprendre. Vous n'êtes pas une mère. Votre enfant est mort dans un accident. On ne vous l'a pas enlevé…

Le colonel avait écourté la conversation. Poliment, mais sèchement. Il avait prétexté un rendez-vous

158

urgent et s'était engouffré dans sa voiture. Elle lui avait jeté un regard étrange, où Henrik avait cru lire de la commisération. Il n'avait réussi à se calmer qu'en retrouvant l'habitacle chauffé de la Mitsubishi, d'où les explosions lui parvenaient légèrement assourdies. Il s'était étendu quelques minutes. Le visage de Lena ne le quittait plus. Ou plutôt le dessin un peu flou qui, ces dernières années, avait remplacé dans son esprit les traits de sa fille. Il eut peur. La seule chose qu'il parvenait encore à se représenter nettement, c'était la petite robe rouge volant au vent. Et le rire qu'avait eu sa fille en enfourchant son vélo ce jour-là. Il alluma l'autoradio et écrivit un SMS à Anna.

La télévision était allumée sur les clips. À l'écran, Amérique et Russie régnaient en maîtres. Toutes les cinq minutes, des Noirs amateurs de grosses voitures laissaient la place à des blondes en maillot de bain à la voix haut perchée. Les deux Empires se faisaient face jusque sur les télévisions ukrainiennes. C'était une explication commode et prisée, d'ailleurs : renvoyer dos à dos les deux Grands pour expliquer les malheurs de la région et du pays. Combien de fois Anna Kavadze l'avait-elle entendue, cette explication fruste qui faisait de la guerre le fruit d'une machination macabre ourdie tantôt à Washington tantôt à Moscou, un dommage collatéral du Grand Jeu auquel se livraient les deux superpuissances ? Et nous, humbles habitants du Donbass ? Nous, nous ne sommes que de pauvres innocents ! Des victimes prises en tenaille par les appétits voraces des gros poissons. Un troupeau de moutons sacrificiels, en somme… Anna ricana. Même ceux qui avaient manifesté devant les administrations ukrainiennes pour réclamer l'arrivée des troupes russes ? Même ceux qui avaient soutenu les séparatistes et voté pour l'indépendance lors du référendum fantoche qu'ils avaient organisé ? Elle n'y croyait pas. Elle se refusait à exonérer ceux qui avaient joué un rôle actif dans le déclenchement du chaos. Mais l'explication avait au moins un avantage : elle permettait de clore les discussions sans trop de casse. Le mal vient de là-haut, de « la politique », des autres, et n'en parlons plus, cher voisin, buvons un verre comme avant, oublions le fracas du monde. Combien de frères s'étaient déchirés aux premières heures du conflit ? De pères avec leurs fils ? De couples ? Pro-ukrainiens contre prorusses… Modernistes contre traditionalistes… Il n'y avait alors plus de place pour les tièdes et les nuances. Des questions nouvelles étaient apparues et subitement tout le monde se devait d'avoir un avis : se sentait-on russe ou ukrainien ? monde slave autoritaire ou Occident décadent ? oligarques aux commandes ou gay prides sur les boulevards ? La haine était au coin de la rue, dans chaque cage d'escalier ; on formulait ses réponses avec de plus en plus de prudence ; les passages à tabac étaient monnaie courante… Plus tard, la guerre avait en quelque sorte remis les compteurs à zéro. On avait enterré les grandes idées et les espoirs fous, les questionnements, les identités tourmentées. On avait cessé de se disputer puisque seules les bombes étaient capables de se faire entendre. On n'espérait plus que la survie.

Anna regardait l'écran d'un œil, le volume éteint, debout derrière sa planche à repasser. Aplanir les habits jusqu'à ce qu'ils ne forment plus qu'une bande de tissu lisse et chaude était devenu son occupation privilégiée. Elle voulut rire à cette idée saugrenue, mais sa bouche n'esquissa pas le moindre sourire. Henrik aurait sûrement eu une théorie à ce sujet, une théorie brillante, ou simplement amusante, qui expliquerait le besoin frénétique qu'avait son épouse d'effacer jusqu'au moindre pli des chemises. Le Henrik d'avant, se reprit-elle. L'homme qui partageait aujourd'hui sa vie se contenterait sans doute d'un haussement d'épaules. Pire, il chercherait sûrement à la rassurer. Tout en pensant à autre chose.

Le repassage lui permettait habituellement de ne pas penser, mais cela ne marchait visiblement pas à tous les coups. Anna parvint enfin à rire, mais le son qui sortit de sa bouche l'effraya. Comme le quartier était silencieux ! C'était si étrange. On n'entendait pas une explosion, pas un tir d'arme automatique. Les voisins étaient tous partis en procession pour le cimetière. Elle aurait dû en profiter pour sortir, inspirer de grandes bouffées d'air frais. Ne penser à rien, marcher dans la neige. Elle se contenta de changer de chaîne. Les informations montraient la visite du président à Bruxelles. Un sommet européen. On aurait dit un enfant cherchant des amis dans la cour d'école. Il faisait peur aux autres, cela se voyait, avec sa grande taille et son air de chien abandonné. Ils l'évitaient. Peut-être qu'elle se trompait. Peut-être l'évitaient-ils parce qu'il amenait avec lui une odeur de cadavre et de soufre. On parlait déjà de recoller les morceaux avec la Russie : pourquoi cet escogriffe continuait-il à nous ennuyer avec sa guerre sans fin ? avaient l'air de se dire les autres, ses mauvais copains.

Henrik trouverait le meurtrier du jeune garçon, Anna en était sûre. Elle le voyait à la ride nouvelle apparue sur le front de son mari, qui signalait sa préoccupation. Mais qu'adviendrait-il après ? Le grand trou noir de leur existence allait leur paraître encore plus béant. Que ferait-il ? Peut-être prendrait-il sa retraite ? Elle ne l'imaginait pas assis sur le perron de leur maison, devisant avec les voisins. Il sombrerait en deux mois. Et elle avec lui. Elle était plus forte que lui, elle en était sûre, mais pas assez pour les porter tous les deux. Un instant, elle espéra qu'il avait une maîtresse. Une jeune. Qui lui insufflait un peu de vie. Elle eut à peine formulé sa pensée qu'elle éclata en larmes. Elle avait honte. Elle changea de chaîne et prit une autre chemise dans le tas.

On disait que les femmes slaves donnaient le meilleur d'elles-mêmes quand leurs hommes étaient à la dérive. En prison, à l'hôpital… Elles pouvaient accomplir des exploits, renverser des montagnes. Elles étaient pour eux l'épaule la plus solide et la plus douce qui soit. Mais que se passait-il quand mari et femme sombraient en même temps ? Anna avait cru pouvoir jouer ce rôle, au début, mais elle s'était épuisée. Elle n'avait rien à offrir à Henrik, et elle s'était perdue en route. Elle aurait dû penser davantage à elle-même. Reprendre un travail. Déménager. Elle l'aurait entraîné avec lui.

Sur l'écran, un groupe de cachalots fendaient

majestueusement les flots d'une mer d'un bleu profond. Un reportage animalier de la télévision britannique. L'un d'eux se tenait en retrait du groupe, à la traîne. Il évoluait lentement, ralenti par un étrange fardeau. L'animal poussait du bout de son nez un tout jeune cachalot à la dérive, bizarrement chahuté par les courants. Anna comprit brusquement. Le bébé était mort et sa mère se refusait à l'abandonner. Elle lui offrait une dernière nage, une dernière traversée. Mère et enfant dansaient un ballet dont eux seuls comprenaient la chorégraphie. Les autres animaux s'arrêtaient régulièrement pour les attendre, les entourer. On pouvait lire la tristesse dans les yeux de chaque membre du groupe. Anna lâcha le fer. Ses larmes coulaient sur le tissu.

Elle allait partir. Elle ne savait pas encore quand, mais elle partirait. Il le fallait. Elle regarda son téléphone. Henrik avait écrit : « L'enterrement était beau. Tu m'as manqué comme notre fille me manque. Je ne serai pas là pour le dîner, ne m'attends pas. Henrik. PS : J'étais beau, moi aussi, dans la chemise que tu m'as repassée ce matin. »

Le coup de téléphone avait surpris Henrik au café Out, où le policier s'était arrêté pour avaler une pizza et faire le point. Il n'avait eu le temps d'accomplir que la première partie du programme et c'était sans doute mieux ainsi. «Faire le point» était sûrement très en vogue chez les flics, mais l'exercice s'annonçait douloureux. Depuis deux jours, il n'avait pas progressé d'un millimètre et passait l'essentiel de son temps à observer l'évolution de la fissure au-dessus de son bureau.

— Henrik, il faut que tu passes me voir, j'ai des choses pour toi.

Le ton de Levon ne souffrait pas la réplique et Henrik avait été heureux de s'arracher à l'atmosphère lourde du Out.

Le garde à l'entrée de l'Usine avait immédiatement relevé la barrière en apercevant le policier, qui était visiblement attendu. Levon l'avait reçu à peine quelques minutes dans son bureau tout de verre et de cuir, orné seulement de diverses coupes sportives et d'un tableau lourdaud représentant de jeunes bergers avec leurs moutons dans la montagne arménienne. La

165

pièce avait beau être immense, l'Arménien y semblait à l'étroit, sautant de son fauteuil à chaque instant pour arpenter l'espace à grands pas.

— Sortons, allons au sauna, avait-il finalement dit en attrapant Henrik par le bras.

Les deux hommes marchaient à présent dans les allées interminables de l'Usine. Au-dessus d'eux s'élevaient les murs immenses des fours, monstres de métal et de feu. Leurs bouches rougeoyantes et voraces s'ouvraient toutes les trente minutes pour recevoir leurs précieuses rations de houille. Des gerbes de lave incandescente étaient projetées vers les bassins de refroidissement : le coke, chauffé à plus de mille degrés. Il partirait bientôt vers les aciéries et les usines sidérurgiques de Marioupol, sur la côte de la mer d'Azov, qui appartenaient elles aussi à Rechat Izmaïlov. D'immenses tuyaux cheminaient entre les fours, formant des labyrinthes aux allures de ville futuriste. L'odeur, âcre, prenait à la gorge. Derrière les volutes de fumée et de vapeur d'eau, le ciel était invisible. Levon paraissait parfaitement à sa place en maître des enfers. Il recevait avec un sourire bonhomme les salutations des ouvriers, hommes au visage sec, creusé par les flammes. En 2014 et 2015, l'usine avait été la cible de nombreux tirs des séparatistes. Une dizaine de ses employés étaient morts à leur poste de travail, mais aucun n'aurait abandonné la cokerie. Sans eux, l'Usine n'était plus qu'un tas de métal inutile. Et sans l'Usine, Avdiïvka n'était plus rien. Levon n'avait forcé personne à rester à son poste, il avait seulement rouvert le vieil abri antiatomique soviétique laissé à l'abandon et proposé à ceux de ses employés qui le souhaitaient de passer là les nuits plutôt que de s'aventurer sur les routes des quartiers plus proches du front. L'ancien gangster s'était révélé un gestionnaire habile. La survie de la ville lui devait beaucoup. Jour après jour, il continuait à se rendre sur les lieux de chaque bombardement, soutenant discrètement les familles touchées. Pour les autorités militaires, il était un interlocuteur bien plus prisé qu'Henrik. En clair, Levon Andrassian était l'homme le mieux informé d'Avdiïvka.

— Après notre conversation, j'ai mené ma petite enquête, annonça-t-il à Henrik alors que les deux hommes pénétraient dans le vestiaire de la direction. (Il y avait là un *banya*, le sauna russe, et des douches.) J'ai demandé à mes contremaîtres d'interroger leurs hommes, de me faire remonter tout ce qu'ils auraient pu constater de bizarre dans le quartier de l'Usine autour de la période du meurtre.

— Et qu'est-ce qu'ils ont entendu ?

Le gros Arménien ne répondit pas. Il acheva de se déshabiller et pénétra entièrement nu dans l'étuve. Le sauna avait été chauffé avant son arrivée, il était légèrement humide, à point. Henrik le rejoignit, calant ses os sur l'un des bancs inférieurs. Levon escalada en soufflant les marches qui menaient au niveau supérieur, là où la chaleur était la plus forte.

— Qu'est-ce qu'ils ont entendu, Levon ?

Le directeur commençait déjà à suer. Les gouttes de transpiration se frayaient difficilement un chemin le long de son corps velu. Il ferma les yeux et étendit les jambes. Son sexe pendait à cinquante centimètres du visage d'Henrik.

— Tu aurais pu imaginer, quand nous étions gamins, que l'un de nous moucharderait un jour pour les flics ? Et que l'autre serait précisément un flic ? finit par dire l'Arménien en riant.

— Je crois que même aujourd'hui je serais incapable de moucharder aux flics ! répondit Henrik sur le même ton.

— Tu te souviens de la fois où nous étions venus jouer dans l'usine de réfrigérateurs du quartier Lénine, à Donetsk ? enchaîna Levon après un moment. On devait avoir 12 ou 13 ans…

Henrik se souvenait, mais il ne voulait pas interrompre la rêverie de son ami.

— 12 ans, se contenta-t-il de souffler.

— C'était l'été, il faisait chaud… On avait sauté les clôtures et on errait dans l'usine avec nos bâtons à la main, en faisant attention à ne pas croiser de gardes. On s'y était mis à trois, avec le petit Ruslan et le Roux, pour te faire croire qu'on s'était baignés l'été d'avant dans une des cuves de refroidissement. Tu ne voulais pas être en reste et avoir l'air d'un froussard. Tu avais grimpé en haut de la cuve et tu t'y étais plongé, en caleçon.

— Toute la production de l'usine s'est arrêtée, quasi instantanément ! Ça a fait comme un grand silence, tout à coup… Puis l'alarme s'est déclenchée et les gardes sont arrivés en courant.

— On a eu le temps de s'enfuir, mais toi tu es resté à moitié nu dans ta cuve. Quand ils t'ont attrapé, ces cloques dégueulasses qui te sont restées pendant un mois commençaient déjà à se former. Les produits chimiques… Les flics, le directeur de l'école, tes parents, tout le monde a voulu te faire avouer avec qui tu étais. Et toi, tu n'as pas soufflé un seul nom.

Les deux hommes se turent, se laissant encore un peu plus envahir par la chaleur. Ce fut Henrik qui rompit le premier le silence.

— Tu sais qu'elle a fermé, cette usine?

— Oui, il y a quelques mois. Ces cons de séparatistes n'ont pas su la garder, et maintenant nos beaux réfrigérateurs NORD vont être fabriqués en Chine…

— Qu'est-ce que tu voulais me dire à propos de tes gars, Levon?

L'Arménien souffla et s'appuya sur ses bras pour s'asseoir. Son ventre formait une belle masse compacte au-dessus de ses cuisses.

— Ton animal… Arseni Ostapovitch, l'Afghan… Vous étiez là-bas ensemble, non?

— Oui.

— Le soir où le corps du petit Zourabov a été découvert, plusieurs de mes ouvriers l'ont vu errer dans le quartier de la gare. Un de mes gars l'a rencontré dans un café, où il tenait des propos bizarres. D'autres l'ont aperçu dans le voisinage à plusieurs reprises les jours précédents. Il a aussi tenté de se faire embaucher chez moi, un soir où il venait visiblement de se battre. Toujours dans le même quartier…

— Quel genre de propos tenait-il au café ?

— Il est apparemment rentré dans ce bouge quand les gars qui y étaient discutaient de la mort du petit. Il a interrompu tout le monde et a lancé quelque chose comme : « Eh oui, il fallait s'y attendre. » Quand les autres lui ont demandé de s'expliquer, il a simplement dit : « Ben oui, il fallait s'y attendre, les gosses ne sont pas tous innocents… » Quelque chose de ce ton-là. Les types qui étaient là ont voulu lui casser la gueule, mais quelqu'un les a arrêtés en rappelant que ton Ostapovitch est un peu dérangé. Ils l'ont juste foutu dehors.

— Levon, il fait trop chaud. Sortons, paye-moi une bière.

Mike occupait sa position favorite dans le hall d'entrée du Barocco. Juste après la lourde porte gardée par le vigile, dans le couloir menant à la grande salle, il se tenait en équilibre précaire sur le dossier d'une chaise, ses baskets calées sur les accoudoirs de velours. Le jeune dealer n'aimait pas la musique pop tout droit venue de Moscou que l'on passait dans la boîte, alors il se rabattait sur cet emplacement intermédiaire, ni tout à fait dedans, ni tout à fait dehors, qui lui permettait de contrôler les entrants et d'asseoir sa position de personnage central des nuits d'Avdiïvka. Les videurs toléraient sa présence dans leur antre et ceux qui cherchaient à s'approvisionner savaient où le trouver. Il s'agissait ensuite de conclure la transaction discrètement, le plus souvent dehors ou dans les toilettes, pour ne pas heurter les sensibilités. Sans cela, Mike le mégalo aurait facilement pu se prendre pour le patron du club. Les sommes modestes qu'il manipulait lui rappelaient qu'il n'en était qu'un des meubles.

La soirée était bien avancée et Mike n'avait vu défiler que des visages connus, les mêmes midinettes en minijupe que d'ordinaire, qui l'enlaçaient une seconde en signe d'acceptation, les mêmes types lourdauds apprêtés pour leur sortie du samedi soir qui lui serraient la main en souvenir de leurs années d'école et de cours d'immeubles. Mike connaissait le rituel : les deux groupes s'observaient un moment, le temps de s'imbiber proprement, avant de se rejoindre sur la piste de danse toute pudeur ravalée, les filles secouant langoureusement leurs petits culs, les hommes se contentant d'agiter frénétiquement les bras. Parmi eux, peu consommaient de la drogue, et encore moins parmi la clientèle plus âgée du club, pour qui passer de la vodka au vin relevait déjà du sacrilège. Les vrais clients de Mike étaient les toxicos, les malpropres, les déchets qu'on n'aurait pas laissé entrer au Barocco, mais le jeune homme n'avait pas envie de passer ses samedis soir en leur compagnie peu rassurante. Il préférait encore subir les chansons mièvres au rythme entêtant que crachait la sono, quitte à se réfugier dans les morceaux de rap stockés dans son téléphone.

Pour l'heure, il était aux aguets. Quelques minutes plus tôt, l'arrivée d'un petit groupe dépareillé l'avait tiré de sa torpeur. Il y avait là deux filles qui vinrent immédiatement l'embrasser, Nina et Zoïa, des fans de grunge que Mike appréciait principalement parce qu'elles ne se fringuaient pas comme des pétasses et préféraient les jeans troués. Elles étaient avec trois soldats mal rasés aux uniformes sales qui – Mike avait eu le temps de le noter quand l'un d'eux s'était approché du bar – avaient un peu d'oseille. À leur

172

mine renfrognée, Mike se dit qu'ils ne tiendraient pas un quart d'heure dans la boîte. Soit ils déclencheraient une bagarre, soit ils s'empresseraient de partir à la recherche d'un autre endroit où oublier leur foutue guerre. Et là ce serait à Mike d'intervenir.

Il attendit finalement une grosse demi-heure avant de voir les types s'esquiver du Barocco et disparaître discrètement dans la rue, sans faire de scandale. Un bon point, se dit Mike : les colériques faisaient rarement de bons clients.

Il les rejoignit au niveau du monument au poète Taras Chevtchenko, autour duquel les gars commençaient à déambuler.

— Vous ne devinerez jamais qui se tenait ici avant ? attaqua Mike.

— Lénine, répondit un des soldats en rigolant.

— Comment ça, c'est pareil chez vous ? fit semblant de s'étonner le jeune dealer.

Dans toutes les villes d'Ukraine où les statues de Vladimir Ilitch avaient survécu à la grande vague de déboulonnages des années quatre-vingt-dix, le révolutionnaire russe avait fini par céder sa place au poète ukrainien dans les quelques années suivant la révolution de Maïdan. Il suffisait parfois d'ajouter au monument de bronze une fière moustache et le tour était joué.

— Moi, c'est Mike, se présenta le jeune homme. Si vous voulez fumer un joint, je vous l'offre volontiers. Mais si vous voulez plus… il va falloir débourser.

Ça ne servait à rien de finasser, ou alors les autres

allaient finir par le prendre pour un pédé en quête d'aventures.

— Comme ça, tu veux te faire du pognon sur le dos des braves soldats ukrainiens ? Tu n'as pas honte ? Nous, on risque notre peau et toi tu ramasses les bénéfices…

Mike se moquait bien de leur indignation, les types jouaient leur rôle. Il craignait seulement qu'ils décident de lui prendre sa came sans payer. Tant pis, il n'allait pas s'écraser.

— Personne ne vous a obligés à venir, reprit le dealer. On est dans un pays libre, et moi je suis un commerçant libre !

Celui qui menait la conversation rit franchement. Ils se comprenaient : il n'y avait pas de place pour les grands principes, à Avdiïvka pas plus qu'ailleurs. Chacun faisait ses choix et les assumait. Mike était libre de vendre de la came, les autres avaient le droit de conduire à cent cinquante à l'heure sur les routes du front et de tirer au lance-roquettes quand ils s'emmerdaient. C'était ce qu'ils avaient gagné en venant ici, en s'arrachant des bleds minables où ils avaient grandi.

— Moi, c'est Viktor, dit le jeune soldat en tendant la main à Mike. Je te confirme, je suis venu ici librement, mais maintenant tu vas m'aider à partir très, très loin. Juste une nuit, offre-moi un aller-retour au soleil.

Arseni Ostapovitch habitait sur la Vorobiova, une rue qu'Henrik empruntait tous les matins pour rejoindre son commissariat. Un immeuble miteux et grêlé d'éclats d'obus, dont la façade sud semblait sur le point de s'effondrer. Son adresse était répertoriée à la mairie, comme pour tout bon citoyen, et elle n'avait pas changé depuis près de trente ans. Le gars avait été chanceux, il avait dû être l'un des derniers à recevoir son logement des mains du pouvoir soviétique. Ancien de l'Afghanistan, ce n'était pas la plus rutilante des signatures, mais dans les localités tenues par des fonctionnaires ni trop corrompus ni trop cyniques, cela pouvait aider. Durant l'année 2014, la rue Vorobiova avait été une sorte de Sniper Alley. Elle donnait sur les champs et, plus loin, sur la ligne de front tenue par les séparatistes. Les tirs et les bombardements étaient incessants. Depuis, les choses s'étaient calmées, le front s'était éloigné, et seuls de rares obus y tombaient épisodiquement. Les gens avaient malgré tout conservé l'habitude de parcourir cette artère pied au plancher, sans s'attarder. Les appartements avaient trop souffert des combats. Seules quelques familles étaient revenues.

Le numéro 6 était un immeuble bas de cinq étages, classique des grandes constructions de l'époque Khrouchtchev. Ils avaient été érigés en hâte dans toutes les villes de l'Union dans les années soixante, pour faire face à l'afflux de travailleurs venus des campagnes. Les murs avaient rapidement commencé à se lézarder, mais le provisoire s'était perpétué. Dans toutes les anciennes républiques, des millions de familles continuaient d'y vivre dans un confort sommaire.

Deux des appartements les plus hauts de l'immeuble d'Ostapovitch avaient été intégralement soufflés. Les pieds d'un canapé émergeaient des ruines, bizarrement en équilibre au-dessus du vide. Le plan de coupe était parfait, on aurait dit une réclame pour les appartements modèles du Donbass. Henrik se gara sur le terrain de basket-ball qui jouxtait le bâtiment. Un gamin de 5 ou 6 ans y jouait avec un ballon dégonflé, un sachet de chips à la main, mollement surveillé par une femme qui devait être sa grand-mère. Le flic salua sans obtenir de réponse et pénétra dans l'immeuble. La cage d'escalier était semblable à des millions d'autres à travers l'ex-URSS, peinte en vert jusqu'à hauteur d'épaule, d'un blanc douteux au-dessus. Les lumières ne fonctionnaient pas et l'eau s'infiltrait à travers les murs. Henrik perçut une vague odeur de chou qui venait des étages, mais il ressentit surtout le vide. L'endroit était quasiment à l'abandon, il y faisait plus froid qu'à l'extérieur. Le policier grimpa jusqu'au quatrième, trouva l'appartement 415 au fond d'un couloir bizarrement éclairé par l'ouverture béante formée par un trou d'obus. Il vérifia que son Makarov était bien chargé et frappa. Personne. Il n'avait aucune envie de revenir au commissariat effectuer les formalités d'usage : il faudrait jouer des épaules ou du flingue. Par acquit de conscience, il poussa sur la porte. Celle-ci résista à peine et s'ouvrit dans un léger couinement. Drôle de serrure.

Le petit deux-pièces ressemblait en tous points à ce qu'on pouvait imaginer du logis d'un ancien combattant solitaire et à moitié cinglé : sale, extraordinairement en désordre et puant. De petits tas de linge sale se partageaient le plancher avec des restes de nourriture abandonnée, vaisselle usagée et boîtes de conserve entamées. Les murs de la salle de bains étaient marron de crasse ou de merde. Henrik fut presque surpris de ne pas sentir l'odeur d'un cadavre d'animal. On ne voyait nulle part le signe d'une présence récente : ni brosse à dents ni savon dans la salle de bains ; aucun drap ou couverture sur le canapé-lit. Ou le type vivait comme le dernier des clochards, ou bien il avait mis les voiles depuis un moment et n'habitait plus ici.

Le policier s'approcha de ce qui ressemblait à un bureau, couvert de papiers et de poussière. Des dizaines de lettres expédiées par les services communaux attendaient d'être ouvertes. À côté, des monceaux de journaux anciens et de coupures de presse s'empilaient. Henrik s'arrêta sur l'une d'elles. Une couverture de la *Pravda* datée du 27 décembre 1979 : « Le gouvernement progressiste révolutionnaire de Kaboul appelle à l'aide l'Union soviétique. Face aux actions hostiles des forces réactionnaires, le gouvernement légitime de la République populaire afghane a une nouvelle fois demandé le soutien de Moscou pour rétablir l'ordre. Les troupes aéroportées de l'Union soviétique ont été dépêchées dans la capitale et dans les grandes villes afghanes. » Les autres coupures concernaient toutes l'Afghanistan. Henrik parcourut rapidement la pile : les articles gardaient ce même ton lénifiant, mais au fil des mois ils étaient de plus en plus courts, relégués de plus en plus loin en pages intérieures. Henrik connaissait ces comptes rendus officiels lapidaires et pleins de contradictions. On y annonçait dans le même temps les succès du corps expéditionnaire soviétique, la fin prochaine des opérations militaires et l'envoi de troupes supplémentaires. Jamais un mot sur les retours, en revanche, sur ces dizaines de milliers de jeunes hommes qui rentraient au pays après leur service dans les montagnes afghanes. Aucun compte rendu sur de quelconques cérémonies d'accueil ou soirées de gala dans les maisons de la culture. Peu à peu, toutefois, le ton se faisait plus critique, plus distant vis-à-vis du discours officiel. Quelques articles écrits à la fin des années quatre-vingt n'hésitaient pas à demander clairement : « Pourquoi sommes-nous là-bas ? » Un journaliste de la *Komsomolskaïa Pravda* écrivait en juin 1986, peu avant que soit amorcé le retrait des troupes par Mikhaïl Gorbatchev : « L'intervention en Afghanistan, lancée au nom de la lutte contre l'impérialisme, ressemble de plus en plus à ce qu'elle prétendait combattre. Aux yeux d'une grande partie de la population locale, nos soldats, ceux que nous appelons les combattants internationalistes, sont considérés comme une force d'occupation, et ils ne peuvent tenir leurs positions qu'au prix d'opérations de plus en plus dures contre les civils. » Dans un autre coin, Arseni avait rassemblé des journaux et des magazines étrangers, américains et surtout allemands, langue qu'il devait probablement parler. Les articles n'étaient pas nombreux, mais ils étaient bien plus instructifs et détaillés que ceux parus dans les publications soviétiques. L'ancien combattant avait furieusement annoté certains des articles, soulignant à gros traits des passages entiers, notant de brèves observations dans la marge. Il semblait être passé rapidement sur les articles traitant de la géopolitique du conflit ou de l'aide apportée par les États-Unis et leurs alliés aux combattants islamistes, équipés par la grâce de Dieu des fameux missiles américains Stinger. Dans un passage rappelant que « 620 000 Soviétiques, en tout, ont combattu en Afghanistan, conflit aux allures de Vietnam soviétique qui a précipité la chute de l'URSS », Arseni avait souligné deux fois le nombre « 620 000 » et écrit en dessous « Ombres/ Criminels ? ». Il paraissait particulièrement intéressé par les articles relatant les souffrances endurées par la population civile afghane et les exactions commises par les troupes soviétiques : bombardements aveugles sur les *kichlaks*, les villages afghans, enlèvements et tortures, exécutions sommaires... L'un des articles, issu d'une série du *Spiegel*, était accompagné d'une photo, qui paraissait avoir été mise là plus comme simple illustration que parce qu'elle avait un rapport quelconque avec le texte. De surprise, Henrik faillit laisser tomber le magazine allemand aux pages jaunies. On y voyait un groupe de soldats posant tout sourire devant un blindé léger, bras dessus, bras dessous, leurs armes virilement posées sur les épaules. « Une unité soviétique dans le district de Panjwai, province de Kandahar. Mars 1987 », disait la légende. Henrik n'avait aucun souvenir de ce cliché, ni du photographe, un certain Abdul Shah Ghazi, et pourtant c'était bien lui que l'on voyait au premier rang, avec ses galons d'adjudant et son sourire ravi, ses bottes et le bas de son uniforme recouverts de poussière ocre. Arseni Ostapovitch était au deuxième rang, un drôle de chapeau vissé sur le crâne, le visage brûlé par le soleil. On avait du mal à dire si son regard se perdait hors du cadre, ou bien s'il regardait dans sa direction à lui, Henrik. Le policier essaya de deviner si l'on distinguait dans ce regard les traces d'une folie à venir, d'un traumatisme, mais il ne voyait rien d'autre que la fatigue et cet air faussement bravache que tous les soldats arboraient pour masquer la peur. Il se força à se remémorer mentalement les noms de tous les autres jeunes hommes présents sur la photo. À son propre étonnement, il y parvint sans trop de mal. Il fit ensuite le décompte des vivants et des morts, mais se rendit compte rapidement des limites de l'exercice : ce brigand de Sergueï Vorovitch, qui trafiquait tout ce qu'il pouvait sur le marché de Kaboul, depuis l'essence jusqu'à ses cartouches de munitions ou sa ration de lait en poudre, était bel et bien mort, cela ne faisait pas de doute ; Henrik l'avait vu se vider de son sang. C'était aussi la seule fois où il l'avait vu avoir un geste de bonté. Sergueï s'était écarté de la colonne pour porter secours à un gamin visiblement blessé, sur le bord d'une route de montagne. Quand le Russe s'était penché sur lui, le gamin avait sorti un poignard et le lui avait planté de tout son long dans le ventre. L'enfant avait réussi à s'enfuir dans la montagne, sautant comme un cabri entre les rochers et esquivant leurs tirs furieux. Mais Andris Berzins, le Letton taciturne et discret qui avait eu la jambe arrachée par une mine, fallait-il le ranger parmi les vivants ou les morts ? D'instinct, Henrik aurait penché pour la seconde option, mais là-bas, dans leur Union européenne, peut-être s'occupait-on des éclopés ? Andris avait sûrement un gentil pavillon près de Riga, un break Volvo et de beaux enfants blonds. Il y avait encore Kostia Stakhanov, un gars de la campagne, de Sibérie. Celui-là semblait devoir rejoindre d'office la cohorte des morts. Son regard doux et perdu d'oisillon tombé du nid semblait dire : « Sortez-moi de là, renvoyez-moi chez ma maman. » Ses cheveux rasés le faisaient ressembler à un adolescent, et il tenait maladroitement son arme, comme si elle le brûlait. Il s'était attaché à Henrik comme un chien à son maître, mais le jeune adjudant, démobilisé en février 1988, avait dû l'abandonner à son sort. Peut-être avait-il survécu. Ceux qui se portaient volontaires, disait-on, mouraient les premiers. Les appelés, les maigrelets de 18 ans, avaient une chance. Même s'ils passaient le plus clair des quelques mois théoriquement dévolus à l'entraînement à effectuer des travaux de construction dans les datchas des généraux.

Le policier tremblait légèrement quand il reposa les papiers sans prendre soin de les remettre en ordre. Il eut envie de sortir de la pièce, comme s'il y était en trop. L'espace était rempli de fantômes, et parmi eux s'était glissé l'enfant cloué de son cauchemar. Talukan… Le nom lui pesait comme une pierre dans les entrailles, il courait dans ses veines de manière menaçante. Henrik trouva une bouteille de vodka quasiment vide sur une étagère et en but les dernières gorgées d'une seule lampée. L'alcool le calma. Il se força à poursuivre sa fouille. Dans un sac militaire posé près du lit, il trouva un attirail de choix : une veste militaire râpée, une boussole qui devait remonter aux années soixante-dix, un pistolet Tokarev encore plus ancien, probablement fabriqué dans les années quarante, et un poignard militaire marqué d'une étoile rouge. Henrik fut saisi d'un doute : se pouvait-il que l'ancien soldat ait conservé plusieurs poignards militaires ? Il continua, naviguant avec dégoût entre des assiettes dans lesquelles la crasse avait sédimenté et du linge immonde. Il passait ses mains sous le matelas, en haut des étagères. Il trouva finalement le document derrière la chasse d'eau des toilettes. Un simple morceau de papier aux liserés bleus, le seul dans tout l'appartement qui n'était pas encore recouvert de poussière. « Acte de naissance », annonçait le texte rédigé en ukrainien. Il était établi au nom d'Alexandre Konstantinovitch Zourabov, né le 6 janvier 2012, enregistré à Vodyane, district d'Avdiïvka, fils de Konstantin Vladimirovitch Zourabov et Alina Alexeïevna Zourabova. Sacha Zourabov… Comment le document avait-il pu atterrir là ? Henrik avait beau tourner tous les scénarios possibles dans sa tête, il n'y avait qu'une seule explication : Arseni Ostapovitch l'avait récupéré sur le corps du garçon, probablement après l'avoir tué. Que les habits du gamin soient introuvables dans l'appartement ne remettait pas en cause cette hypothèse.

Henrik tremblait. Il empocha le papier et s'apprêta à sortir. Il se ravisa, revint sur ses pas et emporta le sac militaire contenant le Tokarev.

Le cadavre donnait à la place un mauvais genre, se dit le capitaine Igor Balouga en arrivant sur les lieux. Avec ses parterres de gazon et ses bancs agréablement disposés, la place Chevtchenko était l'une des rares fiertés d'Avdiïvka et un havre de paix recherché par les familles et les retraités. Les premières comme les seconds auraient peu goûté de voir le banc qui faisait face à la statue du poète, sous un pin majestueux, occupé par un soldat débraillé allongé de tout son long. Sans doute familles et retraités auraient-ils été encore plus choqués d'apprendre que le soldat en question, un dénommé Viktor Tcherniy, 22 ans, originaire de la lointaine Loutsk, en Ukraine occidentale, gisait là, mort, terrassé par une overdose d'héroïne. Les premières informations avaient été faciles à collecter : quand le jeune Tcherniy avait commencé à se sentir mal et à paniquer, peu avant l'aube, ses camarades de défonce avaient appelé les secours et avaient même eu la présence d'esprit de signaler quelle drogue leur copain avait ingérée. Ils n'avaient en revanche pas poussé la courtoisie jusqu'à attendre l'arrivée de la cavalerie, et le

cadavre était maintenant tout entier de la responsabilité d'Igor Balouga, qui fulminait dans son coin et
ne répondait pas aux questions des jeunes policiers
qui l'accompagnaient.

Le capitaine pouvait seulement se féliciter de
s'être levé tôt ce matin-là. S'il n'était pas arrivé le
premier sur les lieux, à la suite des ambulances, un
autre policier aurait peut-être eu l'idée saugrenue de
mener l'enquête et de tenter de remonter à ceux qui
avaient fourni la drogue au soldat.

Balouga avait de tout autres priorités. Après la
mort du gamin poignardé, incident regrettable qui
avait secoué toute la ville, cela commençait à faire
beaucoup. Si le bruit se répandait que les soldats
mouraient d'overdose à Avdiïvka, la ville allait bientôt devenir le centre d'une attention très désagréable.
Le policier n'aurait aucun mal à convaincre la hiérarchie militaire d'enterrer l'affaire, et tout le monde
serait gagnant : l'armée, qui ne serait pas éclabous-
sée, la police d'Avdiïvka, qui héritait d'une affaire
résolue avant même d'avoir été ouverte, et même
le jeune gars sur ce banc. Il avait plutôt une bonne
tête, malgré sa barbe de plusieurs jours, remarqua
Balouga, et l'on pouvait supposer sans prendre trop
de risques qu'il avait à Loutsk une famille aimante,
peut-être même une petite copine, bref tout un tas de
gens qui seraient soulagés d'apprendre que Viktor
Tcherniy avait été tué en accomplissant son devoir
de soldat.

Le plan tenait d'autant mieux la route que Balouga

avait les moyens de s'assurer que cet épisode fâcheux ne se reproduirait pas. Il était temps de s'atteler à un sérieux ménage. Et il était temps que cette feignasse de Levon Andrassian se réveille…

— Vous avez composé le numéro de la police de la république populaire de Donetsk. Si vous voulez que votre affaire soit résolue en quinze minutes, tapez 1 ; si vous voulez dénoncer un cochon de fasciste ukrainien, tapez 2 ; si vous voulez qu'Henrik Kavadze vous suce la bite, tapez 3.

Henrik n'avait pas vraiment le cœur à rire, mais entendre la grosse voix joyeuse de Petia Vassiliev lui fit du bien.

— Et pour taper sur ta grosse face réjouie, je fais comment, Petia ?

— Tu grimpes sur l'un de tes tanks pitoyables, tu franchis la frontière et tu viens affronter la glorieuse armée de la république populaire de Donetsk ! Mais si entre-temps tu te fais botter les fesses, je n'y serai pour rien.

Henrik rigola pour faire plaisir à son copain et ancien adjoint. Non seulement il était heureux de l'entendre, mais en plus il avait besoin de lui. En quittant l'appartement d'Arseni Ostapovitch, il avait informé ses hommes de la découverte d'indices importants et envoyé deux d'entre eux faire le pied de grue devant l'immeuble de la rue Vorobiova. Ils n'avaient encore vu personne et Henrik doutait fortement qu'Ostapovitch revienne prochainement à Avdiïvka. Il se donnait deux jours avant de lancer un avis de recherche qui achèverait de l'alerter. Le colonel devait retrouver sans tarder la trace de l'Afghan. Les archives du commissariat auraient pu l'aider – des lieux où il aurait été arrêté dans le passé, des contacts identifiés dans des dossiers antérieurs… Seulement, tout avait brûlé en 2014. Quand ils avaient abandonné la ville, les séparatistes avaient mis le feu à tous les documents administratifs qu'ils avaient pu trouver. Vengeance mesquine mais efficace : rien n'était numérisé. Les mots qu'avait prononcés l'ancien soldat à l'enterrement du petit Sacha continuaient aussi de trotter dans la tête d'Henrik. Que devait-il se rappeler ? Le policier pressentait que l'autre faisait référence à un souvenir qu'ils auraient eu en commun, mais peut-être évoquait-il d'autres meurtres commis à Avdiïvka. Là aussi, les archives étaient muettes. Seul Petia Vassiliev pouvait remplacer cette masse de papiers partis en cendres. L'ancien adjoint d'Henrik avait fait toute sa carrière à Avdiïvka, et il était doté d'une mémoire – et d'un ventre – d'éléphant. Seulement, Petia avait disparu en même temps que les archives. Au printemps 2014, lui avait choisi de travailler avec les séparatistes, il avait même récupéré le poste de commandant laissé vacant par Henrik. Quand les Ukrainiens étaient revenus, il avait embarqué sa petite famille dans sa Lada, accroché un matelas et la belle armoire du salon sur le toit et migré vers l'est, prenant le chemin inverse des milliers de familles qui fuyaient les combats et le règne des séparatistes. Il avait naturellement intégré la nouvelle force de police formée par ces derniers et Henrik avait récupéré Balouga.

— Petia, comment ça va chez toi ? Comment vont Elena et les enfants ?

— On habite loin des zones où tes petits copains bombardent, alors ça va. Elena s'habitue à tout, tu sais. Elle est replongée trente ans en arrière, avec les jolis drapeaux rouges que mes chefs plantent à tous les coins de rue. Elle s'offre une cure de jouvence soviétique ! Je vais envoyer Artiom à Moscou, à l'université. C'est pas que je sois méfiant vis-à-vis des institutions de ma petite république, mais je préférerais que le gosse ait un diplôme sérieux… Seulement je ne sais pas comment je vais payer tout ça, je suis bientôt au chômage, tu sais ?

— Qu'est-ce qui se passe, tu as des problèmes ?

— Mais non, tout le monde est très satisfait du travail du gros Petia ! Mais on a prévu d'en finir avec l'injustice et la misère dans le prochain plan quinquennal de la république. Le crime ne devrait pas tarder à suivre…

Ce coup-ci, Henrik éclata d'un rire franc, la blague était bonne. Les gars du SBU, les services ukrainiens, qui écoutaient leur conversation devaient s'en tenir les côtes, eux aussi. Cette pensée rappela à Henrik que, sans son statut de légendaire héros de l'Ukraine, il risquait gros à appeler ainsi un haut gradé du camp d'en face. Même si de tels appels téléphoniques étaient légion : entre amis, entre parents, entre collègues, on continuait à se parler de part et d'autre de la ligne de front. Alors pourquoi deux vieux flics ne pourraient pas blaguer gentiment et échanger quelques conseils ? tenta de se rassurer Henrik. C'était même Petia qui risquait le plus : chez lui, les gens du MGB, la police politique, n'aimaient pas du tout les blagues. Ils étaient moins professionnels que les services russes mais bien plus sauvages. Vassiliev pouvait disparaître corps et âme du jour au lendemain et personne ne viendrait le réclamer.

— Petia, j'ai besoin de tes lumières. Est-ce que ça te rappelle quelque chose, des enfants assassinés et plantés avec un outil, une arme ou n'importe quoi, au niveau du thorax ou du ventre ? On a déjà vu ça à Avdiïvka ?

— Ça me rappelle quelque chose, mais pas à Avdiïvka, dit Vassiliev après un moment de réflexion. Figure-toi qu'on a eu ça chez nous il y a quelques mois. Un gamin de 9 ans, retrouvé empalé sur une grille d'usine. À Torez, plutôt loin de ton secteur. À mon avis, c'était un accident, mais tu ne devineras jamais ce que l'enquête a conclu...

— Tentative de déstabilisation ukrainienne ?

— Dans le mille ! Je te le redis, moi je crois à un accident : la grille était sous un pommier et le gamin a pu s'empaler en tombant de l'arbre. Mais si tu te demandes si ça peut correspondre à un crime, c'est oui. La grille était à environ deux mètres de hauteur, assez bas pour qu'un homme bien bâti parvienne à y planter le gamin…

— Dis-moi encore quelque chose, brigand. Si tu voulais trouver Arseni Ostapovitch, l'ancien de l'Afghanistan, ailleurs que dans son appartement de la rue Vorobiova, tu chercherais où ?

— Henrik, tu vas devoir me payer une très bonne bouteille de cognac le jour où on se reverra. Enfin, s'il y a du cognac en enfer, parce que j'imagine mal où on pourrait se revoir avant ça… Ostapovitch vit de notre côté. On le suspecte depuis un moment de faire des allers-retours de part et d'autre de la ligne de front et on l'a à l'œil. Je n'ai aucune idée de comment il s'y prend, mais pour moi c'est d'abord un gars de chez nous. Il squatte une station-service abandonnée. Tu rédiges une demande d'entraide judiciaire entre nos deux grandes nations ou je te dis tout de suite où ?

— Ta cuvée Belzébuth est prête… Dis-moi.

— Yasinouvata.

Yasinouvata. Si loin et si proche d'Avdiïvka. Moins de dix kilomètres à vol d'oiseau et un océan entre les deux villes. Une ligne de front, une guerre, un fossé civilisationnel, pour parler comme l'affectionnaient les intellectuels de Kiev… Henrik se demanda s'il pourrait jamais mettre la main sur Arseni. Si l'autre se savait recherché, il se tiendrait tranquillement de l'autre côté du front, bien à l'abri.

— Qu'est-ce que tu lui veux à Ostapovitch ? reprit Vassiliev.

— Disons que je me pose des questions.

— Garde tes mystères, Henrik, mais si mon avis peut t'aider à y voir clair, je pense que c'est un fou dangereux. Il y a une dizaine d'années, avant que tu arrives ici, un type lui devait de l'argent. Ostapovitch l'a démoli : visage en sang, plusieurs os brisés, tu vois le tableau… Quand on l'a attrapé, il n'a pas nié. Il n'a pas avoué non plus, tu me diras, il se contentait de nous regarder avec un air de défi. Saleté de fierté mal placée…

— Il a fait de la taule ?

— Cinq mois.

— Petia, pourquoi tu ne reviens pas chez nous ? demanda Henrik en interrompant son adjoint. Tu pourrais m'être utile… C'est ta ville ici, les gens te connaissent et t'apprécient, quoi qu'il se soit passé…

— Je te suis toujours utile, Henrik, même dans ton sommeil, fit Petia en rigolant. Tu ne t'es jamais demandé pourquoi tu n'avais pas eu de problèmes, quand tu as dit aux séparatistes d'aller se faire foutre ? Tu te souviens de Volodya Rybak, à Kramatorsk ? Il leur a dit bien moins pire que toi et on a retrouvé son corps au fond de la rivière… Tu étais protégé, petit homme, et qui sait, peut-être qu'un ange gardien veille encore sur toi !

Une explosion retentit dans le combiné du téléphone au moment où Vassiliev terminait sa phrase. Suivie, quelques secondes plus tard, par une autre, cette fois dans la «vraie vie», à quelques centaines de mètres. Petia avait dû l'entendre aussi. Les deux hommes éclatèrent de rire.

— Reviens, ce sera à mon tour de te protéger, insista Henrik.

— Contre le SBU ? Tu crois que tu fais le poids ? Écoute, je ne suis pas si mal, dans ma république. On est coupés de tout et ça me va comme ça. Les types au pouvoir sont de fieffés gredins, mais ils font attention à l'ordre public… Les toxicos se planquent, depuis qu'on est là.

— C'est ça, les grands chefs tiennent les trafics et toi on t'envoie faire la chasse aux pauvres types des rues. C'est glorieux, ça ?

— Qu'est-ce que la gloire a à voir là-dedans, Henrik ? Il n'y a que les cons pour vouloir encore chercher la gloire, à nos âges… C'est quoi notre métier, si ce n'est de maintenir un semblant de propreté à la surface ?

— Notre métier, c'est le même que celui de n'importe quel être humain sur Terre : arriver à vivre avec une conscience à peu près propre.

Henrik s'en voulait d'avoir rembarré son ami. Depuis qu'il le connaissait, Petia n'avait jamais trahi personne, il avait toujours pris soin des siens. C'est d'abord cela qu'on attendait d'un homme. Il avait touché les mêmes pots-de-vin que les autres flics, de petits expédients qui lui avaient permis, comme à Henrik, d'aménager son intérieur. Ceux qui refusaient étaient de toute façon bons pour pointer au chômage : ni la hiérarchie ni les collègues ne toléraient que les lubies d'un original menacent tout le système. Dans le chaos de l'année 2014, chacun avait fait ce qu'il pouvait, suivant ses convictions ou, plus souvent, son instinct de survie. Son collègue s'était retrouvé du mauvais côté de l'histoire par facilité plus que par idéologie. Les grands chefs ne répondaient plus, chacun était livré à soi-même. Petia avait continué à faire la seule chose qu'il savait faire : flic. Beaucoup auraient ensuite réussi à s'accommoder d'une telle erreur, à négocier une seconde chance. Kiev avait trop besoin d'hommes expérimentés dans la région pour faire la fine bouche. Petia avait assumé jusqu'au bout. Il était parti avec sa Lada et ses nouveaux maîtres ; il était devenu un ennemi de l'Ukraine.

Yasinouvata. Les cinq syllabes résonnaient en Henrik, lui répétant inlassablement : « Ce-chien-d'Arseni-Ostapovitch-est-coupable. » Qu'est-ce qui avait conduit son ancien camarade d'unité sur sa route meurtrière ? Cogner sa femme ou des types qui vous doivent du fric était une chose, assassiner un gosse en était une autre. Les anciens d'Afghanistan étaient rarement des enfants de chœur. Beaucoup avaient fini en prison ou au fond d'une bouteille. Mais ce meurtre abject ? Il fallait aller à Yasinouvata, vite. Faire parler Arseni. Le ramener de ce côté-ci. Le policier sentait son cœur battre trop vite : comment t'y prendras-tu, gros malin, pour passer la ligne de front, puis pour mener ton enquête dans une ville quadrillée par les séparatistes, bombardée en permanence par tes amis ukrainiens ? Pour les civils, circuler entre les deux zones était long, difficile, parfois dangereux, mais faisable. Lui pouvait peut-être obtenir un laissez-passer de l'administration militaire ukrainienne, mais ensuite? Il tomberait cinq cents mètres plus loin sur un barrage séparatiste, puis encore un autre, et encore un autre aux abords de chaque localité… Il était fiché, là-bas, il n'y avait aucun doute à avoir. Que dirait-il aux soldats? «Les gars, on a eu nos petits différends, par le passé, mais je vous ordonne à présent de laisser passer la justice dans son 4×4, elle est aveugle à ces broutilles et a besoin de vérifier au plus vite si les pommiers de Yasinouvata poussent bien au-dessus des grilles des usines.» Henrik n'avait pas envie de mourir pour traquer un suspect.

Le policier écrasa brutalement le frein de la Mitsubishi. La voiture dérapa sur quelques mètres et se mit en travers de la route. La poussée d'adrénaline lui fit du bien: il se rendit compte qu'il avait peur. Il aurait aimé aller chez Ioulia, mais il n'osait pas. Il ne voulait pas que la jeune femme lise cette peur au fond de ses yeux. Il avait vu son geste, à l'enterrement, c'est elle qui avait entraîné la foule, quand elle s'était agenouillée. Ioulia ne lui pardonnerait pas d'hésiter face au meurtrier de Sacha Zourabov. Henrik eut soudain, comme jamais auparavant, la certitude que la guerre allait durer encore longtemps. S'installer comme un molosse dans la niche d'un caniche et ne plus jamais en bouger. Henrik ne pourrait pas éternellement la tenir à distance. Il avait cru pouvoir rester dans sa tour, inatteignable, un simple témoin de l'Histoire et de la folie des hommes. Il s'était leurré. Non seulement la guerre s'était infiltrée en lui depuis longtemps, mais à présent elle exigeait qu'il s'engage, qu'il avance ses pions sur le grand échiquier sanglant. Petia Vassiliev n'était pas là pour le protéger. Il n'y avait pas d'anges gardiens dans le Donbass. Ou bien leurs ailes étaient chargées d'anthracite.

Une lumière hésitante sortait de la fenêtre de la vieille Antonina Gribounova. Henrik hésitait à déranger sa voisine à une heure tardive, mais il n'avait pas envie de rentrer chez lui. L'effet de l'alcool s'était estompé, il se sentait faible, rabougri. Il toqua timidement à la porte. Antonina lui ouvrit avec un grand sourire : la vieille ne fermait pas à clé. Qui faisait encore cela à Avdïïvka ? La canonnade reprit, toute proche, et un voile d'inquiétude passa sur les yeux d'Antonina.

— Entre, ma petite colombe, dit-elle. Loussia Louzovitch est venue me rendre visite. À l'enterrement du garçonnet, elle tremblait de froid et je lui ai prêté un gilet. Elle est venue me le rapporter.

Henrik sentit à nouveau son cœur se contracter en voyant dans le canapé la vieille femme, droite comme un I, son visage de corbeau le regardant fixement. Loussia Louzovitch avait disparu de la circulation depuis des années et voilà qu'il la croisait deux fois en deux jours. Son malaise s'accrut quand Antonina Gribounova s'échappa dans la cuisine pour préparer quelques douceurs. Loussia Louzovitch tenait une tasse de thé entre ses mains, le petit doigt relevé à la

197

manière des aristocrates de l'ancien temps. Henrik se demanda où disparaissait le liquide. La vieille femme avait l'air si sèche…

— Comment vas-tu, Henrik ? demanda-t-elle.

Le policier s'étonna du tutoiement et du ton parfaitement calme de la vieille dame. Une explosion retentit, plus proche que les autres. Henrik sursauta. Pas un muscle du visage de Loussia Louzovitch n'avait tressailli.

— Ça va, je chasse toujours le crime.

Sa plaisanterie éculée lui parut déplacée. Il baissa la tête.

— As-tu retrouvé celui qui a tué ce pauvre enfant ?

— Pas encore, mais j'espère bien pouvoir y arriver rapidement.

Henrik se sentait mal à l'aise. Pour tromper le silence, il demanda :

— Loussia Fedorovna, vous connaissez Arseni Ostapovitch, n'est-ce pas ?

— Bien sûr, je l'ai vu souvent à son retour d'Afghanistan. Il a connu mon Aliocha là-bas. Il avait besoin de parler, à l'époque, et moi j'avais besoin de comprendre.

— Et vous avez compris ?

— Beaucoup, et en même temps peu de chose. Arseni m'a aidée à me faire une idée de ce à quoi ressemblait cette guerre. Il m'a raconté beaucoup de choses sur les opérations que vous meniez, sur les moudjahidin, sur la vie à la caserne… Mon Aliocha n'est resté là-bas que trois semaines, tu sais.

— Est-ce qu'il vous a dit… comment était mort Aliocha ?

— Bien sûr. Vous l'ignorez, Henrik ? demanda la vieille en repassant au vouvoiement.

Le policier fut soulagé d'entendre Antonina Gribounova revenir de la cuisine, tenant un plateau garni de petites coupelles où elle avait disposé des biscuits, des tomates marinées, un peu de fromage et du saucisson. Elle avait aussi rempli un carafon de vodka glacée. Les victuailles colorées s'accordaient parfaitement avec son inusable peignoir rose. Le petit Vassili trottinait derrière elle. Il s'installa sagement à côté d'Henrik sur le canapé.

— Mes colombes, il est tard, les soldats se réveillent. Pendant qu'ils jouent à la guerre, buvons un petit verre, voulez-vous ?

Loussia Louzovitch se leva d'un mouvement brusque, avec une vigueur étonnante.

— Je préfère rentrer, Antonina Vladimirovna. Le colonel Kavadze a visiblement des choses à vous dire.

La maîtresse des lieux fit à peine semblant de retenir sa voisine. Elle semblait elle aussi soulagée de son départ. Loussia glissa comme une ombre vers la porte de la maison. Henrik l'imagina marchant à petits pas vers sa maison, droite sous le bruit des bombes, furtivement éclairée par les éclairs des explosions.

— Tu fais la guerre, toi ?

Vassili s'était tourné vers Henrik et l'interrogeait de sa voix fluette.

— Il y a très longtemps, j'ai fait la guerre, répondit

Henrik. Mais aujourd'hui, mon travail est de protéger les gens. Les petits garçons comme toi…

L'enfant prit la main du policier dans la sienne. Elle était minuscule, pâle.

— C'est quoi ton travail ?

— Policier.

— Tu as une arme ?

— J'ai une arme.

— Alors tu fais la guerre.

Le petit garçon retira sa main et descendit lentement du canapé, sans un mot. Il rejoignit Antonina à la cuisine. Henrik entendit des pleurs, puis la vieille qui murmurait :

— C'est un gentil.

Il devina qu'elle parlait de lui.

— Il est couché, dit la vieille en revenant après quelques minutes. Ne fais pas attention, Henrik, dans son esprit, c'est la guerre qui l'a séparé de sa maman.

— Séparé ? Sa mère n'est pas morte ?

Henrik sentit le trouble d'Antonina Gribounova et regretta sa question. La vieille dame pouvait bien garder ses secrets sans être tourmentée inutilement. Il faisait un drôle de policier, pensa-t-il. Il avait toujours été réticent à s'immiscer dans l'intimité de ses semblables. Que chacun conduise sa vie comme il l'entendait !

— Antonina Vladimirovna, est-ce que vous allez parfois… de l'autre côté ?

— Bien sûr, j'y ai déjà été, mais pas depuis plusieurs mois. Tu sais, j'ai ma fille là-bas. Et deux petits-enfants, Varlam et Lilia. Le petit a 13 ans ; la petite, 9. Je ne les ai pas vus depuis l'été dernier.

— Pourquoi vous n'y allez pas plus souvent ?

— L'argent, Henrik, la vieillesse… Le taxi, l'autobus, les provisions, le laissez-passer… Ce n'est pas pour moi, tout ça. Et puis qui a besoin d'une vieille comme moi ? Ils ont déjà bien assez de soucis comme ça là-bas pour que je leur en apporte de nouveaux.

À mesure qu'elle parlait, le visage d'Antonina Gribounova s'était voilé. La vieille femme se leva pour faire le service, tournant fébrilement autour du plateau. Ce fut elle qui reprit :

— Henrik, tu vas arrêter ce salaud qui a tué le petit Sacha ?

Le policier entendait pour la première fois de la dureté dans la voix de sa voisine, loin des tonalités rondes et joyeuses qu'elle lui donnait habituellement.

— Qu'est-ce qui vous tracasse tant dans cette affaire, Antonina Vladimirovna ?

Le visage de la vieille se crispa.

— Henrik, cesse de jouer ! Tu crois que je ne les connais pas les hommes du Donbass ? Cela fait soixante-dix ans que je vous observe. Vous êtes tous les mêmes, mes petites colombes, vous êtes de faux durs. Vous avez des mains comme des battoirs, des épaules comme des maisons, vous jurez comme des charretiers, mais vous êtes des doux et des romantiques ! Vous avez l'air solides comme le métal, mais vous vous écroulez à la moindre secousse… Alors ne joue pas à ça avec moi, Henrik. Aucun homme dans cette région n'est capable de rester insensible au meurtre d'un petit enfant.

— Je suis plutôt du genre maigre, Antonina Vladimirovna…

— Oui, tu n'es pas tout à fait comme les autres. Tu ne dis pas «putain» tous les trois mots, tu ne passes pas tes week-ends à boire et à réparer ta voiture. Tu t'es inventé un autre personnage. Le flic désabusé… Le grand cœur brisé… Henrik, si on laisse courir cet assassin, qu'est-ce qu'il nous reste? Nous deviendrons tous des cyniques et des désabusés. La moitié d'entre nous ne pourra plus jamais pleurer, l'autre moitié ne saura plus faire que ça. Tu crois à la justice, Henrik?

— Non.

— Et tu voudrais que les enfants d'ici deviennent comme toi? comme nous? Nous, nous avons au moins grandi en croyant à quelque chose. On nous a bernés, mais on nous a expliqué pendant toute notre enfance que nous appartenions au pays de la justice. Nos rêves se sont brisés sur ces mensonges, mais nous avons cru en quelque chose. Tu sais, Henrik, j'ai eu un frère. Enfin, tu ne le sais probablement pas parce que tu n'es pas d'ici, et parce qu'ils ont tout fait pour effacer à jamais son nom de l'histoire de cette ville. Il s'appelait Oleg. Il avait un cœur en or et était beau comme un dieu. Toujours bronzé, alors qu'il travaillait à la mine de Makeevka, huit cents mètres sous terre. Il était fier de son travail, si fier! Il avait été au Komsomol, il était apprécié de ses chefs. Mais au lieu d'essayer de rentrer au Parti pour faire une carrière de bureaucrate, il préférait continuer à travailler à la mine avec ses équipiers, à se tordre le dos dans les veines de charbon. En 1977, il y a eu un accident terrible, dans la mine Boutovka. Cinquante-deux mineurs sont morts écrabouillés. Peut-être plus, mais on ne nous l'a pas dit. On a fait une belle cérémonie, et puis rien, remettez vos casques et redescendez au fond, braves mineurs ! Oleg était au syndicat, ça lui a permis d'avoir accès à certaines informations, à certains documents. Il s'est rendu compte que les directeurs de la mine n'utilisaient pas le bois qu'ils étaient censés utiliser pour les étais. Ils en achetaient un de qualité inférieure, et pas besoin d'être très malin pour comprendre où partait la différence de prix. Oleg a cru que ses conclusions feraient l'effet d'une bombe, que les coupables seraient immédiatement châtiés, que l'on améliorerait les conditions de sécurité pour les mineurs. Il a cru que le syndicat l'aiderait. Rien de tout ça n'est arrivé. Les chefs du syndicat lui ont dit de la fermer. Il n'a pas écouté et a commencé à s'agiter, à bavarder, à organiser des réunions. Ils ont voulu le faire taire une première fois. Je m'en souviens, j'étais encore lycéenne quand il est rentré à la maison ce jour-là. Ses belles dents, ses belles dents si blanches… La moitié avaient sauté. Son visage était couvert d'ecchymoses. Il a dit qu'il avait eu un accident en chargeant un wagonnet de charbon, mais quel genre d'accident produit cet effet-là ? Il ne s'est pas calmé. Il a voulu monter un syndicat indépendant,

quelques gars étaient prêts à le suivre. C'était une première, et ça a terrifié les autorités locales. Sais-tu ce
qu'ils ont fait, Henrik ? Ils s'en sont pris à sa famille,
à son fils. Le petit avait 5 ans. On le lui a retiré, après
une enquête des services sociaux qui a conclu à des
négligences. Vika, sa femme, ne l'a pas supporté, elle
l'a quitté en espérant qu'on lui rendrait le petit. Oleg
n'a pas voulu céder. Il s'est mis à écrire à Moscou,
à Leonid Ilitch Brejnev, aux cadres du syndicat, à la
presse… Ça a été trop loin. Tant que l'affaire restait cantonnée à notre petite région, ce n'était pas
trop grave, mais là, les dirigeants locaux ont réagi.
Férocement. En mars 1978, Oleg a été convoqué
pour une visite médicale. Il n'en est pas revenu. Nous
n'avons été informés que deux mois plus tard qu'Oleg
était atteint de «troubles psychotiques mettant l'indi-
vidu et son entourage en danger». Il avait été trans-
féré à l'hôpital psychiatrique de Kharkiv, sans droits
de visite. Henrik, ma colombe…

Le visage d'Antonina Gribounova était baigné de
larmes. Elles coulaient doucement dans les innombrables ravines de sa peau, formant de petits ruis-
seaux qui sillonnaient jusqu'à la commissure de ses
lèvres. Henrik l'écoutait les yeux fermés. Les deux
avaient oublié le bruit des bombes, dehors.

— Oleg a été libéré trois ans plus tard, reprit-elle.
Ses dents… étaient toutes tombées. Il n'était plus ni
bronzé, ni souriant, ni même jeune. Un vieillard, un
légume. Pendant trois ans, ils l'ont gavé de produits
chimiques. Il n'était plus capable de formuler une

phrase cohérente, il restait assis dans la cuisine et fixait le mur en face de lui. De temps en temps, il nous souriait gentiment et nous demandait pardon. Vingt ans plus tôt, sous Staline, ils l'auraient sûrement tué, là on lui a versé une pension pour son «handicap»… Tu comprends ce que je veux dire quand je parle de cynisme, Henrik? Oleg a commencé à émerger quelques mois plus tard, mais il ne parlait jamais du passé ou de ce qui lui était arrivé à l'hôpital. Sa santé se dégradait. Il n'avait plus la force de sortir seul. Ses muscles se sont comme atrophiés, il est devenu léger comme une plume, mou. Il est resté comme ça encore quelques mois. Pas un seul de ses anciens collègues n'est venu le voir. Au cimetière, nous étions cinq…

Antonina avait terminé dans un murmure. Henrik voulut ouvrir la bouche, sans savoir encore ce qu'il pourrait dire.

— Vika et le petit n'étaient pas là! coupa Antonina dans un cri étouffé. Henrik, ma petite colombe, tu comprends ce que je veux te dire? reprit-elle sur un ton plus doux. Ce pays de criminels est mort, et nous sommes sûrement morts avec lui. Tous, les victimes, les bourreaux et la grande masse de ceux qui ont oublié et se bercent des souvenirs de défilés magnifiques et d'étoiles rouges. Aujourd'hui, nous vivons dans un pays neuf, jeune, et tu voudrais que l'on explique à ses enfants qu'ils ne peuvent croire en rien? Henrik, pourquoi dans ce cas as-tu pris le parti des Ukrainiens? Pourquoi portes-tu cet uniforme?

En rentrant chez lui, Henrik écrivit un SMS à Levon Andrassian. Il allait avoir besoin des cartes de la région les plus détaillées et les plus actualisées possible, celles où étaient répertoriés les champs de mines. Cela, seul le directeur de l'usine de coke pouvait le lui fournir. Lorsque ses ouvriers pénétraient dans le no man's land pour réparer les infrastructures électriques, ils devaient savoir où ils mettaient les pieds. L'armée leur fournissait les positions des mines posées par les deux camps. En tout cas, celles qui étaient connues. En s'endormant, Henrik attrapa sa femme par la taille et enfouit son visage dans son cou chaud et odorant. Sans se réveiller, Anna recula légèrement pour coller son corps contre celui de son mari.

— Ma petite colombe, murmura-t-il.

L'acide. L'acide lui faisait toujours cet effet-là.
Une bonne claque dans les dents et une longue des-
cente. Agréable. Gérable. Quoique un peu speed.
«*Speeeeed*», prononça-t-il à haute voix et il rigola.
Mike jeta un coup d'œil au rétroviseur. Beau gosse,
pensa-t-il. Il avait du potentiel dans cette ville.
Quoique. Il avait déjà fricoté avec toutes les filles
potables. «*The place is too small for Mikie Mike*»,
dit-il en adressant une grimace au rétroviseur. Putain
de ville. Il aimait conduire la nuit. Aucune lumière,
sauf celle de ses phares. Le béton qui défilait sur les
côtés, la route irrégulière. La liberté. Où était-on plus
libre ? «Hein, dis-le-moi», lança-t-il encore au rétroviseur. Les cafés étaient miteux, «et alors ?», il suffisait de garer trois bagnoles en cercle, phares allumés.
On disposait les verres et les bouteilles sur le capot,
et là il n'y avait plus que l'imagination comme limite.
Ils devaient s'emmerder, à Kiev, à Saint-Pétersbourg,
à Moscou. «Chérie, on va boire un drink ?» «Chéri,
tu as vu mes chaussures à talons ?» «Chérie, je rentre
dans trois heures, il y a des embouteillages.» Putain
de snobs. Mike alluma un joint pour atténuer un peu

l'effet de l'acide. Il pensait trop vite. La voiture allait trop vite. Les lumières bougeaient trop vite dans son cerveau. Il y avait juste ce foutu hiver. Trop long, trop froid. C'était dommage que les autres partent. Les jeunes. Après quoi ils couraient ? L'avenir ? Un boulot ? Il y avait tout ici. Si on se sentait à l'étroit, il suffisait d'escalader un terril. Regarder l'univers à ses pieds. Boire un coup. *The World Is Yours.* Le rétroviseur s'illumina. Un vrai feu d'artifice. Le ciel était traversé de toutes parts de traînées multicolores. Les déflagrations se succédaient. Pas bon pour ceux du Vieil-Avdiïvka, pensa Mike. Lui roulait dans l'autre sens. Son fournisseur l'attendait. Il alluma l'autoradio. *California Love.* Il monta le volume, la musique couvrait le bruit des explosions. « Et alors, elle est où votre guerre maintenant ? » Il tira encore sur le joint. Dehors, c'était la Californie. Qui écrirait le premier rap sur la guerre du Donbass ?

Le lieu du rendez-vous était inhabituel. Le parking de l'ancien supermarché ATB. Éventré par les bombes, consciencieusement pillé. « Est-ce qu'on voyait des choses comme ça ailleurs ? » fit Mike en rigolant.

Le gros flic l'attendait. Avec trois types. Des racailles locales. Survêtements Adidas, cheveux ras. Merde, c'était son style à lui, ça ! Mais lui n'était pas une racaille. Il était un type au poil, un *businessman*. Réglo, carré et sympa. Un artiste.

— Salut, Captain, dit Mike en ouvrant la portière.

Une lourde volute de fumée s'en échappa.

— Salut, Mike. Viens par là.

Le gros flic avait le visage rouge. Même dans la nuit, il brillait.

— Capitaine, c'est un drôle d'endroit pour causer. Nos affaires vont bien ?

La douleur tordit Mike en deux. L'autre avait frappé sans prévenir, d'un geste circulaire puissant, en plein dans les côtes. Il voulut se relever, mais un coup de genou le saisit au vol, en pleine face. Il tomba sur le sol mouillé. La vraie fête commençait. Les trois autres s'approchèrent et rouèrent de coups le corps affalé. Leurs pieds s'abattaient partout, dans son dos, dans son ventre, sur ses couilles, sur son visage. Heureusement qu'ils portaient leurs baskets de racailles et pas des chaussures plus sérieuses, pensa Mike. Un os craqua, son poignet brisé lui arracha un hurlement de douleur. Plusieurs côtes cédèrent dans la foulée. Mike tenta de se retourner. Il reçut un coup de talon dans le nez. Le sang lui coulait dans la bouche.

— Tu ne m'appelles plus jamais par mon grade, vermine. C'est compris ?

Mike haletait sur le sol, incapable de répondre.

— C'est compris ? hurla l'autre.

— Compris, gémit-il.

— Bien. Maintenant, tu m'as posé une question, si je me souviens bien. Répète-la.

Mike sentit le piège. Il se taisait, à genoux devant le policier.

— Répète-la.

— Je… Je vous demandais si nos affaires allaient bien.

Le rougeaud envoya un coup de pied sec dans la bouche du jeune dealer. Ses dents éclatèrent. Il était sur le dos, immobile. Un des jeunes types s'approcha et lui assena un nouveau coup de poing sur le nez. Mike entendit le bruit de chair broyée que produisit le coup. Adieu les filles, pensa-t-il, plus personne ne voudrait d'un type avec la face en crevasses. Il rit. La terre était trop dure, il n'arrivait pas à y disparaître.

Le flic s'accroupit à côté de lui.

— Dis-moi, maintenant : qui est ton fournisseur ? demanda-t-il dans un chuchotement.

Le piège… La mort… Si proche… S'en sortir…

— Personne. Je n'ai jamais eu de fournisseur, articula-t-il avec difficulté. Je… je n'ai jamais vu votre visage.

— Bien, tu es plus intelligent que je le croyais, mais pas encore assez. Tu as déconné salement en vendant de la drogue aux militaires. Tu as fait une grave erreur qui pourrait nous coûter cher à tous. Et qu'il t'arrive des problèmes, je m'en moque totalement, mais je n'ai pas envie d'être éclaboussé par tes bêtises. S'il y avait le moindre risque pour les gens avec qui je travaille, tu disparaîtrais dans la seconde. Ce sont des gens puissants, qui n'aiment pas le grabuge. Ils n'aiment pas que des vermines de ton espèce mettent le désordre. Alors je vais te proposer très généreusement une solution que tu vas accepter avec reconnaissance. Pour toi, c'est fini, les *affaires*. Mieux, ça n'a jamais existé ! Tu n'as jamais eu de fournisseur, tu n'as jamais eu de dope. Tu ne m'as jamais vu. Compris ? Tu es hors circuit.

Mike sourit. Son corps entier gémissait, mais il s'en foutait. Il méprisait ce gros flic rougeaud. Il méprisait ce type qui donnait une telle importance à sa vie et à ses trafics minables. Ce Balouga qui lui mettait la pression pour vendre sa came puis se débarrassait de lui à la moindre anicroche. Il méprisait les hommes et leur violence. Il était en Californie. Il parvint à articuler :

— Sois un homme… Avant de partir, glisse juste le joint que j'ai laissé dans la voiture dans ma bouche. Sois un homme et fais ça. Le joint… allumé.

Henrik s'était mis en route en début d'après-midi. Il était sorti d'Avdiïvka par le nord, contournant la ville par la route de Kamyanka. Au-delà, la piste s'arrêtait. L'asphalte, exposé aux tirs depuis des années, n'était plus qu'une succession de cratères. Des roquettes non explosées étaient plantées dans le bitume, enfouissant leur bec dans le sol comme des autruches. En suivant les indications inscrites sur la carte que lui avait fournie Levon, Henrik avait repiqué vers l'est sur un kilomètre et demi, suivant une piste forestière qui le mettait hors de vue de la position ukrainienne la plus avancée. Sa voiture se traînait à dix kilomètres à l'heure sur le chemin boueux et défoncé. Les plaques de neige se faisaient déjà rares, le dégel était bien avancé. En bifurquant vers le sud, il avait atteint Krouta Balka. Le village était détruit aux trois quarts et abandonné. Henrik avait garé la Mitsubishi à l'abri d'une grange tenant encore à peu près debout.

À partir de là, la notion de territoire ukrainien ou séparatiste devenait très théorique. On pénétrait dans la zone grise, dans laquelle les deux armées se contentaient de brèves incursions pour grappiller quelques dizaines de mètres ou tester les forces ennemies. Depuis deux ans, c'étaient ces avancées et ces reculs pitoyables, à la valeur stratégique toute relative, qui constituaient l'essentiel des opérations. Bombardements mis à part.

Les mines n'étaient pas le seul danger, on pouvait aussi tomber sur une patrouille de l'un ou l'autre camp. Henrik revêtit des habits civils et enfila une doudoune bleue passe-partout. Il n'était pas question non plus d'emporter sa kalachnikov. Il serait abattu avant même d'avoir la chance d'être interrogé. Et s'il l'était, son pistolet de service, lui, apparaîtrait hautement suspect… Il n'y avait qu'une seule chose à faire : le policier empocha le vieux Tokarev qu'il avait trouvé chez Arseni. L'arme n'était sans doute pas des plus efficaces, mais elle risquait moins d'attirer l'attention.

Henrik se mit en route avec la sensation désagréable de se promener nu dans un safari dont il aurait été la proie. Il avait à peine trois kilomètres à parcourir, mais chaque taillis, chaque maison abandonnée pouvaient abriter un sniper. Le policier marchait en levant haut les genoux et en faisant attention de ne pas écraser de bois mort. Bientôt, à mesure qu'il s'enfonçait dans la végétation, cette prudence lui parut excessive. Il n'y avait face à lui que la forêt écrasante et souveraine. Ceux qui parcouraient la zone interdite de Tchernobyl ne devaient pas éprouver autre chose, seuls face à une nature indomptable qui reprenait ses droits à peine l'homme mis en déroute. Il éprouvait un inhabituel sentiment de plénitude. Seul. Il s'assit sur une souche légèrement humide pour souffler. Les artilleurs des deux camps semblaient même s'être mis d'accord pour lui offrir ce court répit. Le regard du policier fut attiré par un objet qui dépassait du sol, trop blanc pour un simple bâton. Un os. Vraisemblablement humain. La découverte ne troubla guère Henrik. Depuis qu'il était gamin et en âge de jouer dans la forêt, il était souvent tombé sur des ossements. Les massacres étaient une spécialité locale : chaque époque avait offert les siens. Les fosses communes creusées par les communistes dans les années trente n'avaient pas toutes été découvertes, pas plus que celles utilisées par les nazis pour assassiner les Juifs durant la guerre. Les os pouvaient aussi être ceux d'un paysan parti mourir dans la forêt durant la grande famine provoquée par Staline en 1932-1933. Ou ceux d'un combattant mort en 2014.

Henrik s'était tout juste relevé qu'un coup de feu éclata. Claquement sec dans le silence, dont l'écho se répercuta d'un arbre à l'autre. Un deuxième suivit. Il entendit cette fois la balle éclater non loin de lui. Le colonel eut une furieuse envie de se jeter au sol, hors de portée, mais cela n'aurait fait qu'exciter le tireur. Il leva les bras en l'air, bien en évidence, et se tassa légèrement, autant par crainte d'être tiré comme un lapin que dans l'espoir de ressembler à un vieux paysan. Il devait bien y en avoir qui circulaient sur la ligne de front, insensibles au danger…

Le troisième coup de feu fit gicler une motte de terre à proximité d'Henrik. Celui-ci était incapable d'en déterminer l'origine. Le tireur semblait s'amuser. Cet enfoiré avait-il la gaule en jouant ainsi avec les peurs et la vie des simples quidams? Henrik aurait aimé l'avoir en face de lui, pour observer son visage de pervers avant de coller son poing dedans.

— Tu es qui? hurla-t-il bien distinctement, mais son cri se perdit dans la forêt. Je suis un civil, ajouta-t-il avec moins de conviction.

Silence. Quelques secondes plus tard, semblant venir du village qu'il avait dépassé il y a peu, retentit un cri sonore :

— Ta mère est une pute !

Henrik baissa rapidement les bras et se mit à courir comme un dératé, slalomant d'un arbre à l'autre. Il n'était plus temps de suivre la carte. Son cœur lui faisait mal, ses genoux se dérobaient. Au quatrième coup de feu, il s'écrasa par terre, son visage dans la boue. À cinq mètres, un cheval aux yeux exorbités le contemplait, son museau tacheté délicatement posé sur le sol. Du sang séché sortait de son oreille. L'animal respirait par à-coups discrets, envoyant de petites volutes de vapeur dans l'atmosphère. Henrik se força à ne pas bouger. Il laissa passer dix secondes, écoutant sa propre respiration, rauque, terrorisée. Il rampa en direction du cheval, posa sa main sur ses naseaux. Le contact était doux. L'homme attendit encore cinq secondes puis il jaillit brusquement de sa cachette et se remit à courir.

Il était boueux, fourbu, lorsqu'il parvint en vue de la station-service indiquée par Petia Vassiliev, à l'entrée nord de Yasinouvata. Son genou droit le faisait atrocement souffrir, après sa course éperdue dans la forêt. Il prit quelques instants pour observer les lieux. Ils étaient déserts. La ville ne commençait réellement que quelques centaines de mètres plus au sud et les rares bâtiments qui se trouvaient là avaient été laminés par les combats avant d'être délaissés. La station-service elle-même était éventrée. Elle avait dû servir un temps de base à un check-point. Des sacs de sable et des pneus avaient été disposés de manière à former une chicane. Un drapeau tsariste en lambeaux dominait l'ensemble, surmonté d'un masque à gaz antique. La carcasse d'une voiture calcinée était posée en travers de la route, ses armatures de métal tordues en tous sens. Un blindé avait été abandonné dans un fossé, sa tourelle rouillée gisait retournée une dizaine de mètres plus loin, apparemment pulvérisée par une roquette antichar. Les traces au sol témoignaient elles aussi d'une bataille peut-être déjà ancienne mais violente : douilles d'armes automatiques et de mitrailleuses, cratères noircis, quelques habits militaires chiffonnés, abandonnés là pour on ne sait quelle raison. Plusieurs troncs d'arbre avaient été coupés net, de même qu'un poteau électrique écroulé sur le sol, ses fils ridiculement emmêlés. Une marmite sans doute utilisée pour faire la popote traînait, à côté d'un gros fauteuil moelleux et taché posé là comme un trône. Probablement le fauteuil qu'utilisait le chef du détachement. À ses pieds, un casque de soldat presque intact, à l'exception d'un trou de la taille du doigt au niveau de la tempe.

Le silence n'était troublé que par de rares croassements de corbeaux. Le policier frissonna, saisi par la désolation de ce paysage lunaire. Il crut un instant distinguer dans l'air l'odeur âcre si caractéristique des cadavres en décomposition. Son imagination lui jouait des tours. Sur le côté de la route, quelqu'un avait fabriqué un drôle de petit trépied avec deux rondins de bois appuyés sur un vélo d'enfant rose, encore en à peu près bon état. La structure signalait à d'hypothétiques automobilistes un énorme missile non explosé, sans doute un Tochka-U, dont le tube de plusieurs mètres de long était planté dans l'asphalte. Une moto était garée sur le terre-plein devant la station-service au toit effondré et aux pompes à demi arrachées. Une Oural antique, mais qui semblait bien entretenue. L'indice le plus récent d'une présence humaine.

Henrik s'approcha prudemment de la station, pénétrant en silence dans le petit magasin attenant, qui paraissait, seul, avoir été épargné. La lumière était coupée, mais le sol était propre et les rayons encore garnis, quoique de manière éparse. Henrik attrapa en passant un paquet de chewing-gums Orbit. Il s'approcha de la porte encastrée dans le fond du magasin, barrée d'une inscription «Réservé au personnel», et la poussa doucement.

Assis sur une chaise, dos à la porte, Arseni

Ostapovitch mangeait bruyamment une soupe dans une vieille gamelle militaire. Dans un coin de la minuscule pièce, un lit de camp avait été dressé, sur lequel était posé, à demi ouvert, un sac militaire semblable à celui qu'Henrik avait trouvé à Avdiïvka. Sur la table, entre la gamelle d'Arseni et un petit réchaud à gaz où réchauffait une casserole de soupe épaisse, un pistolet Makarov était posé. Arseni s'adressa à Henrik en se tournant à demi vers lui :

— Un vrai commando, mon adjudant, tu n'as fait aucun bruit ! Assieds-toi ! Soupe ou thé ?

Obéissant, Henrik se faufila de l'autre côté de la petite table, où une chaise branlante était posée.

— Tu m'attendais, Arseni ?

— Bof, pas vraiment, fit l'autre en haussant les épaules.

Il se leva pour attraper une tasse en fer forgé et la laver dans un seau posé dans un coin. Il avait apparemment opté de lui-même pour le thé. L'endroit était minuscule, il sentait la sueur et le graillon. Il n'y avait aucune fenêtre, hormis une ouverture grillagée d'où filtrait un peu de lumière. Henrik regarda le Makarov sur la table, hésita à s'en saisir puis se ravisa. Arseni revenait avec une tasse fumante.

— C'est quoi ici ? Ta planque ?

— Oui, si tu veux, dit Arseni en haussant une nouvelle fois les épaules. Tu sais, je ne cherche pas vraiment le contact, alors on peut appeler ça une « planque ». On est au calme ici, pas de voisins pour vous déranger, pas de police… Seulement la forêt…

Henrik observa le visage de l'homme qui lui faisait face. Il paraissait calme mais était bizarrement rouge, et ses yeux étaient brillants, comme s'il venait de boire. Toutes les aspérités de ce visage étroit, depuis la pomme d'Adam jusqu'aux pommettes et au nez long et fin, semblaient briller d'une teinte plus vive encore. Seules ses lèvres fines restaient pâles et serrées, comme si Arseni ne parlait qu'à contrecœur. Ses cheveux châtains et filandreux étaient peignés de façon à masquer une calvitie déjà bien installée. Une musaraigne au long cou, se dit Henrik, et il toucha machinalement le Tokarev au fond de sa poche…

— Et pourtant on t'a vu souvent à Avdiïvka ces derniers temps. Qu'est-ce que tu viens y faire ?

— Je suis curieux, mon adjudant ! La vie y est plus intéressante que de ce côté-ci. Ici, tout semble mort, on attend seulement que le ciel s'écroule, ou une catastrophe du même ordre. Chez vous, tout le monde est toujours très agité, le moindre événement vous met dans des états impossibles.

— Le moindre événement… comme le meurtre d'un enfant ?

— Ça, mon adjudant, c'est un très grand événement ! Là je comprends que les gens s'agitent… Un enfant, tout de même, tué de façon aussi déterminée, aussi méticuleuse… Cela fait toujours du ramdam, les enfants…

Arseni lui-même semblait retrouver un regain de vitalité à l'évocation du meurtre. Ses gestes se faisaient plus brusques, sa voix plus nette, moins traînante.

— Précise… tu veux parler du poignard?

— La belle affaire, le poignard! Tout le monde a un poignard chez soi! Mais le planter dans le thorax d'un enfant, d'un seul coup, bien précis, ça, c'est une autre affaire.

— Je suis passé chez toi, à Avdiïvka. Tu en as encore beaucoup d'autres, des poignards comme ça? C'est quoi ta petite collection afghane? Tu es obsédé par la guerre?

— Bien sûr que je suis obsédé! Et sans doute même un peu traumatisé, ajouta Arseni dans un éclat de rire. Et toi, Henrik, tu n'es pas obsédé et traumatisé?

— Non.

L'autre fixait intensément son ancien supérieur.

— Alors tu es en béton, Henrik… Un poignard se briserait sur toi!

— Arrête avec les blagues de mauvais goût, Arseni, ça me dégoûte.

— Ah, tu es donc quand même un peu sensible! Cela me peine beaucoup que tu regardes ton passé afghan avec autant de détachement, Henrik… Ou alors tu mens. Tu n'as jamais sursauté en entendant des coups frappés à ta porte d'entrée, peut-être? Tu n'as jamais pleuré en passant devant une boucherie, à voir toute cette viande sanguinolente? Tu n'as jamais bu à en devenir fou? Tu n'as jamais laissé ta porte fermée pour que plus personne ne puisse jamais l'ouvrir? Tu ne t'es jamais réveillé, le matin, heureux de ne pas te souvenir de tes rêves? Tu n'as jamais

220

tenu ton arme contre toi toute une nuit en te demandant contre qui tu allais l'utiliser ? Contre toi-même ou contre le premier connard venu qui te ferait une remarque désobligeante… Tu n'as pas l'impression de marcher le dos et les épaules voûtées, de peur et de honte ? Non ? C'est vrai, toi tu marches bien droit et fier, adjudant Kavadze. Tu es un héros, colonel Kavadze ! Tu es un père de famille !

— On a tous nos démons à combattre, répondit Henrik d'une voix sourde. On s'est tous réadaptés à cette vie-là comme on le pouvait. Certains n'y sont pas parvenus, je le sais… Certains ont le poing facile… Mais ce meurtre, Arseni, ce meurtre du petit Sacha Zourabov, c'est quoi ? Un rappel des horreurs que tu as vues en Afghanistan ? Un hommage ? C'est ça que ça devait me rappeler, Arseni ? C'est ça que tu voulais me dire le jour de l'enterrement ? Et le poignard militaire, c'était pour être sûr que le message passerait bien ?

— Un rappel des horreurs que *nous* avons vues, corrigea Arseni d'une voix blanche. Des horreurs que nous avons *commises*. Ce que l'un faisait, tout le groupe en était responsable… Mais tu as raison, tout ça rappelle furieusement nos chères années quatre-vingt.

— Mais de quoi parles-tu ? Et le gamin planté sur la grille, c'est quoi ?

— Ça, je n'en ai aucune idée, répondit l'autre, semblant sincèrement étonné. Il y a eu d'autres meurtres ?

— Tu te moques de moi, Arseni ! cria Henrik

hors de lui. (Sa main glissa au fond de sa poche à la recherche de la crosse froide du Tokarev.) Tu ne te caches même pas d'avoir tué ce gamin, et tu joues à l'imbécile ? Tu veux m'associer à ton crime !

— Je ne cache rien, je te dis comment je vois les choses. Je te… rafraîchis la mémoire… Tu ne te souviens pas de Talukan ? Oh, c'est bien possible que non, personne ne faisait attention au nom des villages. On disait juste : « Voilà, encore un *kichlak* de ratissé », et on passait au suivant.

Talukan. Le nom qui était apparu à Henrik dans son cauchemar. C'était bien ça, un village afghan. Bien sûr qu'il connaissait Talukan. Ils y étaient passés pendant l'été 1987. La chaleur… La chaleur était terrible.

— Je faisais attention aux noms des villages, Arseni, j'étais le chef de l'unité, dit Henrik d'une voix calme. Oui, je me souviens bien qu'on a dû s'occuper d'un certain Talukan, une fois. Dans le district de Panjwai…

— « S'occuper » ! Comme tu es généreux, mon adjudant ! Nous pensions que des insurgés s'y étaient réfugiés. Qu'est-ce qu'on a fait, mon adjudant ? Qu'est-ce que tu as fait ? Tu as demandé un soutien de l'artillerie. Pendant deux heures, ils ont écrasé le village de bombes. Deux heures, sans discontinuer…

— Et toi, tu as oublié qui étaient ces insurgés ? Tu te souviens pourquoi nous les traquions ? Tu as oublié cet hélicoptère qu'ils avaient abattu ? Tu as oublié le temps que l'on a passé à rassembler les morceaux de

222

nos camarades ? Les bras, les jambes, les têtes… Et tout ça, carbonisé ! Ça ne nous a pas pris deux heures, ça ?

— Ensuite, nous sommes entrés, accompagnés des gars des forces spéciales, reprit Arseni sans prêter attention aux mots de son ancien supérieur. Il y avait encore des survivants, c'était étonnant. On a mitraillé à tout-va. Chaque maison, ta-ta-ta-ta ! Ou bien plus simple encore… Tu ouvres la porte et tu balances de l'explosif.

— Tu sais ce que faisaient certaines unités avec leurs grenades ? Elles ramassaient des prisonniers, combattants ou civils, elles attachaient tout ce petit monde avec une corde, avec des barbelés… Ça faisait un beau « fagot », comme on disait… Et hop, une grenade au milieu de tout ça…

— Oh non, Henrik, on ne s'est pas comportés comme des sauvages ! Le sale boulot, c'était pour les forces spéciales… Nous faisions notre devoir, nous ! Depuis notre enfance, on nous avait appris à obéir à la patrie. Tout ce que la patrie faisait ne pouvait être que juste ! Mais tu te souviens des enfants de Talukan ?

— Il n'y avait pas d'enfants à Talukan !

Henrik avait crié. Il se leva d'un bond et, dans le même mouvement, sortit de sa poche son pistolet, le Tokarev d'Arseni. Il le braqua sur ce dernier, répétant :

— Il n'y avait pas d'enfants.

L'autre paraissait inarrêtable. Il ne semblait même pas avoir remarqué l'arme pointée sur son visage et poursuivait :

— Tu peux bien pleurer sur ton petit Sacha et sa jolie maman, mon adjudant… Mais après Talukan, ça t'étonne vraiment, ce qui est arrivé au petit Sacha ?

— Il n'y avait pas d'enfants à Talukan, répétait Henrik.

— Oh, je ne sais pas combien il y avait d'enfants à Talukan. Ou plutôt combien avaient survécu au bombardement, mais il y avait au moins un enfant à Talukan. Tu te souviens de cet enfant, Henrik ? Tu te souviens ?

Arseni s'était levé, regardant Henrik dans les yeux.

— S'il te plaît, continuait-il, dis-moi que tu te souviens de cet enfant !

Henrik aurait voulu que l'autre se taise, qu'il arrête son monologue. Il tendit encore un peu plus son arme, jusqu'à toucher le front d'Arseni. Les yeux de celui-ci se remplirent de larmes, mais il poursuivait, imperturbable :

— Dis-moi que tu te souviens du trou dans sa poitrine !

Henrik sentit à son tour les larmes l'envahir. Il ne réagit pas quand Arseni attrapa son Makarov et le dirigea lentement vers lui.

— Souviens-toi, souffla-t-il dans un demi-sanglot.

Les deux se braquaient, séparés seulement par la petite table du réduit. Arme contre arme, douleur contre douleur. Celui qui tire tue l'autre, efface ses souvenirs. Le temps se fige.

Henrik pleure et se souvient. Il a 7 ans, c'est l'été. Il rentre de l'école en sautillant, comme le font les gamins quand ils sont heureux. Il passe à côté d'un champ de tournesols, il est joyeux, sa chemise toute blanche d'uniforme est restée bien propre, à peine froissée. Maman sera contente, et Henrik sourit déjà de fierté. Il sifflote quand il ouvre la porte. Il court voir maman. Elle est dans sa chambre, il entend du bruit. Ce n'est pas maman qui est là, mais papa. Papa est tout nu, une femme est avec lui dans le lit. Ce n'est pas maman. Papa ? Ce n'est rien, mon fils, papa joue avec une collègue du travail. Tu comprends ? Henrik fait signe qu'il comprend. Il se tait. Il ne faudra rien dire, mon fils. Henrik ne dit rien.

Henrik appuie le canon de son arme sur le front d'Arseni. Il faut en finir.

Arseni va mourir, il le sait. Il a 9 ans et il se souvient. Il joue dehors, dans la prairie derrière l'usine. Il trouve un oisillon blessé. Son aile est brisée, elle pend à côté de lui. L'oisillon pousse de petits cris, c'est une mésange ! Arseni se souvient de sa leçon de biologie, il va ramener l'oiseau chez lui, l'installer dans une boîte à chaussures et le soigner. Il rentre en marchant doucement, il tient l'oisillon contre son cœur, il le réchauffe. À la maison, son petit frère est là. Il est plus habile qu'Arseni, il fabrique une belle boîte, y dispose de petites branches et des fleurs. Il fait un bandage léger à l'oiseau. L'oiseau le regarde, il fait cui-cui. Le père d'Arseni rentre à la maison. Il embrasse très fort le petit frère d'Arseni, il le félicite. Tous les deux, père et fils, sans Arseni, ils s'occupent toute la soirée de l'oisillon. Arseni ne dit rien. La nuit, il se lève sans bruit, il sort l'oisillon de sa boîte et le jette à la poubelle.

— Pourquoi tu me braques, Henrik?

— Parce que tu es un meurtrier, Arseni. Je fais mon boulot, je vais te ramener à Avdiïvka. Et toi, pourquoi tu me braques?

— Pour que tu te souviennes.

Henrik a 12 ans. À l'école, on parle de la guerre. Sa poitrine se gonfle de fierté à l'évocation des exploits de son pays. La Grande Guerre patriotique! Ces mots seuls suffisent à le faire sourire. Il voudrait tant être un héros, lui aussi. La maîtresse pose des questions, il connaît les réponses. Il lève la main, mais la maîtresse l'ignore. Un autre enfant se retourne et dit très fort: Eh, Henrik, tu es un Allemand! Toute la classe rigole. Fritz! Fritz! La maîtresse ouvre la bouche puis la referme.

Henrik ferme les yeux. Il ne voit plus ni la maîtresse, ni Talukan, ni Arseni. S'il tire, ce sera à l'aveugle.

Arseni a 21 ans. Il est en Afghanistan depuis trois semaines, à Kaboul. Il remarque une civile, employée de l'administration militaire, une Russe plus très jeune et un peu fatiguée. Mais elle a une chatte, putain! Tu peux la baiser, lui disent les anciens de son unité. Pour vingt-cinq roubles. Quoi, t'es pas un homme? Les gars lui prennent son fric, c'est presque tout ce qu'il a, ils disent qu'ils vont tout arranger. Le soir, il va dans le baraquement des femmes. La femme est là. Elle lui dit: Qu'est-ce que tu veux? Les autres l'ont déjà baisée. Avec ses vingt-cinq roubles, deux d'entre eux lui sont passés dessus. Dégage, avorton, dit la femme. Avec toi, je baise même pas pour cinquante roubles. Le lendemain, Arseni part en patrouille. Il y a une femme sur le bord de la route. Elle le regarde sous son voile, il le sent. Il pointe son arme dans sa direction, il va tirer. L'un des anciens attrape le canon et détourne le fusil. Il dit : Sale taré, et crache par terre.

Le visage d'Arseni est calme, les humiliations sont oubliées. Mais son doigt reste crispé sur la détente, il appuie à son tour le canon de son arme sur le front d'Henrik.

— Quitte à crever, je voudrais que ce soit de ta main, mon adjudant, dit-il.

— Je te ramènerai à Avdiïvka.

— Tu sais que c'est faux. Il n'y a plus de retour pour nous.

Henrik a 29 ans. Il est lieutenant dans la police. Il vient de boucler sa première enquête. Il a arrêté un gangster. Un tueur. Il a assez de preuves pour l'inculper pour le meurtre d'un commerçant de Donetsk. Le chef de la police entre dans son bureau. Il va le féliciter, c'est sûr. Sale minable, dit le chef, tu sais qui tu as arrêté ? Je te crève moi-même ou je les laisse faire ? File droit et ça ira, dans un an tu pourras même t'acheter une bagnole. Henrik baisse les yeux. Il ne dit rien.

Arseni a 32 ans. Il est au club avec les anciens d'Afghanistan, chez lui à Avdiïvka. Les années quatre-vingt-dix sont encore plus pourries que les années quatre-vingt. Les autres gars se font chier, ils ont le regard mauvais. On va se battre, dit l'un. Ils se lèvent tous et sortent. Ils croisent deux jeunes gars aux cheveux longs. Des pédés ou des métalleux. Tout le monde cogne, les deux gars sont par terre, démolis. Les Afghans s'éloignent. Arseni revient sur ses pas, prend son élan et donne un coup de pied dans la mâchoire du type étendu devant lui. Les coques de ses bottes sont en métal. Il entend quelque chose craquer au bout de son pied.

Henrik a 40 ans. C'est l'été, Lena porte une robe rouge. Elle enfourche son vélo. Elle se retourne, fait un signe de la main à son papa et disparaît au coin de la route. Henrik sait qu'elle lui a souri, mais il ne voit plus son visage.

Arseni a 40 ans. Il se masturbe dans un parc. Il est caché derrière un arbre. Un gamin passe près de lui. Arseni n'est pas gêné, il regarde le gamin et finit de se masturber.

Henrik a 47 ans. Anna est avec lui dans le lit. Elle veut lui parler. Lena, dit-elle… Henrik fait semblant de dormir.

Arseni a 49 ans. Il regarde un documentaire animalier à la télévision. Un nouveau mâle a pris le pouvoir chez les gorilles. Il tue les petits des femelles. Arseni pleure.

— Alors, demande Arseni, tu te souviens ?

Henrik a 24 ans. Il patrouille dans Talukan avec ses hommes. Le village brûle, ils s'éparpillent dans les ruelles et nettoient. Henrik est en tête du groupe, il laisse ses hommes mitrailler l'intérieur des maisons. Il dépasse la dernière maison, se retourne et voit l'enfant. Il a une dizaine d'années, son turban est défait. Un poignard est planté dans son ventre et ses mains sont clouées à la porte d'une maison. Ses pieds pendent à vingt centimètres du sol et des traînées de sang s'échappent des petits trous formés par les clous. Les clous de Talukan, les clous de son cauchemar. Ses hommes le rejoignent et rigolent.

— C'était toi ? demande Henrik.

L'enfant de Talukan et le petit Sacha Zourabov se mêlent dans son esprit. Ils ont le même visage calme. Henrik rouvre les yeux.

— Quelle importance ? demande Arseni. C'était nous tous. Moi, le Letton, toi, les types des forces spéciales… Tu te souviens enfin, reprend Arseni, et un timide sourire de satisfaction vient se poser sur sa face déformée.

— Et le petit Zourabov ?

— Quelle importance ?…

— Qu'est-ce que tu as fait des habits ? Pourquoi tu as gardé l'acte de naissance ?

— L'acte de naissance ? De quoi tu parles ? On dirait un bureaucrate soviétique…

— Qu'est-ce que tu as fait de l'enfant ?

— Je l'ai cloué.

Henrik tire. La détonation est assourdissante. Lorsque la fumée se dissipe, Arseni s'est rassis sur sa chaise. Il a un air étrange, ridicule. Celui d'un idiot qui se serait arrêté de manger sa soupe pour fixer une mouche au plafond, bouche ouverte, langue pendante. La moitié de son front a été arrachée par la balle.

Henrik agit comme un automate. Il ne pense plus à l'enfant de Talukan, plus à Sacha Zourabov. Il veut quitter le réduit de la station-service. Il fouille Arseni, empoche les clés de la moto et les papiers d'identité du mort.

Henrik roulait vers Donetsk, la moto cahotant péniblement sur la route défoncée. Dans un demi-brouillard, il traversait de petites localités aux airs de villes fantômes, passants rares, magasins fermés sans horizon de réouverture. Sur le fronton d'une mairie, une icône orthodoxe accrochée à côté d'un portrait de Staline. Il ne prêtait guère attention aux destructions, aux maisons isolées, aux ponts écroulés et aux quartiers entiers abattus.

Le vent qui frappait son visage le réveilla peu à peu. Il regarda le bas de son pantalon taché de sang. Un morceau plus gros s'était accroché au tissu, un bout de cervelle. Il eut envie de rire. Sa gorge lui faisait mal.

À l'entrée de Makeevka, on le laissa passer sans l'arrêter. Les barrages des séparatistes étaient moins rigoureux que ceux des Ukrainiens. Pour ceux qui circulaient en deux-roues, les contrôles étaient quasi inexistants. Henrik aperçut deux tanks garés dans une cour d'immeuble. La ville était vivante. Peuplée d'êtres humains. On fait ses courses, on rentre du travail, on promène les enfants. Le Donbass qu'il connaissait. Tout ça pour ça, cette guerre qui n'en finissait pas pour quelques drapeaux accrochés aux frontons des bâtiments publics... Il reconnut le super-marché Amstor de la rue des Héros-de-Stalingrad. La grande devanture était désormais barrée d'une banderole « Premier Supermarché Républicain ». Expropriation, loi éternelle de la guerre. On y vendait de l'aide humanitaire envoyée par la Russie. Les dirigeants de la république populaire empochaient les bénéfices.

Henrik parvint enfin aux abords de Donetsk et se dirigea machinalement vers son ancien quartier de Kalininski, près du centre. Un barrage était installé devant un lycée. Le policier montra les papiers d'Arseni à un milicien débonnaire, un gars du cru. Henrik rit : sur la photo, il ressemblait comme deux gouttes d'eau à Arseni. Arseni qui était mort, le cerveau éclaté. Arseni qui avait tué l'enfant. Quel enfant ?

— Ne prends pas froid, dit le milicien en lui rendant ses papiers.

Henrik remonta le col de son manteau et inspira profondément l'air frais.

Il roula jusqu'à l'avenue de la Garde-Rouge. Pas grand-chose n'avait changé dans cette partie de la ville épargnée depuis longtemps par les combats. Les rues étaient propres : elles l'étaient avant l'arrivée des séparatistes et ceux-ci avaient mis un point d'honneur à les conserver comme telles. Question d'image. Leur « capitale » devait être prête à accueillir des délégations étrangères à n'importe quel instant, fussent-elles composées de l'arrière-ban des partis d'extrême droite et d'extrême gauche de l'Europe de l'Ouest. Sur les arbres, les premiers bourgeons étaient sur le point d'éclore. Sa ville, la «ville au million de roses», parsemée de parcs, de cafés, de musées, semblait s'être parée pour le recevoir. Il s'arrêta au numéro 36 et gara la moto devant un bâtiment de neuf étages. Le soir commençait à tomber – presque un soir de printemps, pensa Henrik. Des vieilles étaient installées sur un banc, dans le jardin sauvage qui s'étendait entre les bâtiments décrépis. Elles guettaient les allées et venues, surveillaient la vertu des jeunes filles et commentaient leurs tenues, complotaient contre les vieilles du bloc d'à côté, du couloir voisin, du banc d'en face. Puis elles iraient dîner, dormir, et reprendraient leur position au matin – rituel immuable que seules interrompaient les gelées hivernales. Henrik avait acheté l'appartement peu après son entrée dans la police de Donetsk et ne l'avait jamais vendu, même après son départ pour Avdiïvka. Il grimpa les étages quatre à quatre, comme il le faisait, avant, en rentrant du travail. Il crut presque entendre Lena surgir dans l'escalier et courir à sa rencontre. Arrivé devant son appartement, il frappa à la porte. Il entendit du bruit à l'intérieur, mais il lui fallut encore attendre près d'une minute avant qu'un type n'ouvre la porte. Maigre, une moustache fine. En slip et marcel, une kalachnikov à la main.

— Tu veux quoi, grogna le type.
— J'habitais ici avant. Vous êtes qui?

— Pavel Motorovitch, bataillon Oplot, armée de la république populaire de Donetsk. Et maintenant tu dégages.

— Depuis combien de temps vous êtes ici ?

— Depuis qu'on a besoin de place pour loger les défenseurs du peuple. Et s'il fallait les satisfaire, on aurait pris ta femme avec. Mais l'appartement était vide, malheureusement. T'es qui, toi, un planqué ?

— Un flic.

— Et alors, le flic, t'as pas réussi à garder ton appartement, avec tes relations ? Tu habites où ?

— Avdiïvka.

— Avdiïvka... Chez les nazis ?

— Je suis nazi. Obersturmführer Kavadze, connard. Mission spéciale pour le Führer, on constitue une division entière de putes nazies, tu en es ?

Henrik balança son poing dans le menton du soldat en slip. À cet endroit, il était quasiment sûr de faire KO du premier coup : l'autre s'écroula. Kavadze l'enjamba, ferma la porte de l'appartement derrière lui et recommença à cogner. Trois coups de pied dans les côtes. Il attrapa la kalachnikov tombée au sol et frappa avec la crosse dans le visage du type à terre. Le nez sauta, du sang gicla.

Henrik reprit son souffle et s'avança dans l'appartement. Il explora les deux chambres, le salon. Rien n'avait changé, si ce n'est les affaires du type qui traînaient un peu partout. Il alla à la cuisine et ouvrit le congélateur. Il se servit un grand verre de vodka, s'enfonça dans le canapé.

234

Son cœur avait retrouvé un rythme normal lorsque Henrik arriva à la nuit tombante devant l'hôtel Ramada, niché dans un recoin de l'interminable boulevard Taras-Chevtchenko. Le poète ukrainien avait beau ne pas être très populaire de ce côté-ci du Donbass, il avait réussi à garder une rue à son nom. L'hôtel était situé légèrement en surplomb du sombre et placide fleuve Kalmious. Henrik gara sa moto dans un coin discret du parking, vérifia que le Tokarev était toujours à sa place et pénétra dans l'hôtel avec un pincement au cœur. Avec sa façade de verre et son fronton blanc immaculé, le Ramada lui rappelait l'époque révolue où Donetsk voyait grand et loin. En 2012, la ville avait fait peau neuve pour accueillir l'Euro de foot. L'époque des règlements de comptes était achevée, le fric d'Izmaïlov coulait à flots et la ville entendait se comparer non seulement à Kiev, mais à Munich ou Liverpool. Personne, à l'époque, n'aurait songé à se réclamer de la Russie ou à en appeler aux tanks de la mère patrie. En même temps que le Ramada, on avait bâti le superbe stade du Chakhtar et le nouvel aéroport Sergueï-Prokofiev. Deux ans plus tard, celui-ci était ramené à l'état de poussière.

Le bar était plongé dans la pénombre, aux trois quarts vide. Les vitres étaient recouvertes de scotch épais, censé leur éviter d'éclater sur les clients sous le souffle d'une explosion. Henrik faisait tache dans ce décor impeccable. Moquette rouge, lustres discrets, fauteuils blanc cassé et tables en bois fin. Des écrans accrochés au mur continuaient de faire la réclame du Donetsk d'avant. Sergueï Boubka, l'enfant du pays qui avait sa statue en ville, y apparaissait en guide souriant. Henrik lui adressa un salut discret et alla s'asseoir, légèrement chancelant, à l'une des tables situées en retrait. Le policier avait toujours aimé le bar du Ramada, son charme discret si insolite dans la région. Surtout, la bouteille trouvée dans l'appartement de l'avenue de la Garde-Rouge ne lui avait pas duré longtemps. Il voulait boire encore. Voir des visages vivants, pas des fronts arrachés ou des nez explosés.

Il repéra les journalistes russes en premier. RT, Sputnik, Perviy Kanal, NTV… La fine fleur de l'audiovisuel moscovite, la crème du montage dopé à l'hémoglobine. Ils marchaient par paires : un costaud au look de soldat, treillis et t-shirt tendu par les muscles, le cameraman, et une petite aux airs de Barbie blonde, la présentatrice. Henrik en reconnut une, une vedette qu'il avait déjà aperçue sur la première chaîne russe. À l'antenne, elle s'était taillé un franc succès avec ses grands yeux étonnés et son casque trop grand posé de travers sur son crâne. Incarnation parfaite de la fragilité supposée de la Russie dans une guerre qu'elle n'aurait pas voulue. La fille sirotait un Coca, l'air arrogant, sûre de son fait. Elle interpella sèchement un serveur. Double cheese. Henrik caressa la crosse du Tokarev.

Il était assis non loin du coin squatté par les prostituées, les vraies. Celles-là appartenaient aux meubles.

Avant la guerre, elles guettaient les businessmen allemands ou polonais. La clientèle avait changé, mais les filles gardaient le même air distant et lointain, indéchiffrables derrière leur maquillage et leurs lèvres refaites. Une brune à longue queue-de-cheval adressa un regard à Henrik. Interrogateur. L'air farouche du flic pouvait signifier tout et son contraire : j'ai besoin de me décharger vite fait ; n'essayez même pas d'approcher.

Leurs cibles du soir occupaient les deux grandes tables du fond. Pour l'instant, les hommes étaient encore seuls. Trop tôt. Pas assez bourrés pour appeler les putes à leur table, ils préféraient se marrer entre eux. Des gros rires. Des grosses voix. Des gros biceps. Et des grosses kalachnikovs avec lance-grenades montés dessus. Flingues à la ceinture. La plupart étaient en uniforme, mais même les civils avaient des gueules de guerriers. Des pontes, sans doute. Les sous-fifres, les chauffeurs et les gardes du corps, Henrik les avait vus devant l'hôtel, dans les 4×4 garés sur le parking ou fumant en petits groupes.

Les types étaient des locaux, Henrik le flaira immédiatement. En se concentrant et en tendant l'oreille, il aurait pu suivre leur conversation. Peut-être même que ça aurait valu le coup, jouer les espions, ramener des billes à Azbakov et redevenir un héros pour quinze jours. Mais Kavadze n'en avait pas envie : il voulait boire en paix. Il écouta sa respiration se calmer, regarda ses mains. Il ne tremblait pas. Il appela le serveur, un jeune type en chemise blanche,

commanda trois cents grammes de cognac en carafon. Grand seigneur, grande lassitude. Les rires, les
conversations le berçaient. Il ne pensait à rien, surtout
pas à l'enfant de Talukan ni à Sacha Zourabov. Ne
restait que le malaise qui ne le quittait plus depuis
la station-service, depuis qu'il avait tué Arseni.
L'agencement des mots lui faisait mal. Tué-Arseni.
Arseni-qui-avait-tué. Il aurait voulu ne pas avoir à les
dire, à les entendre.

— T'es qui, toi ?

Un type s'était approché sans qu'il s'en rende
compte. Un colosse, cheveux rasés, bras de métallo
et air rusé. En uniforme. Une tête de petit chef. Les
grands chefs étaient moins costauds, mais celui-là
avait l'air du type qui a naturellement l'ascendant sur
les autres. Il avait posé sa question sans agressivité,
seulement intrigué par la présence d'Henrik. Il l'avait
sans doute reniflé comme un égal, mais il était troublé
de ne jamais l'avoir vu dans le coin.

Henrik n'avait pas le choix. S'il voulait éviter de
se faire repérer, il devait bluffer. Et pour éviter des
explications compliquées, il devait bluffer fort.

— Je suis avec Sourkov, dit-il.

Cela suffit à calmer l'autre, qui encaissa l'information et n'osa pas le relancer. Vladislav Sourkov,
longtemps l'éminence grise de Vladimir Poutine,
celui qui avait théorisé les grands axes de son premier
mandat : verticale du pouvoir, démocratie contrôlée…
Des slogans, du marketing génial auquel l'idéologue
d'origine tchétchène avait donné une réalité encore

plus géniale. C'est lui qui avait eu l'idée de créer de toutes pièces de faux partis politiques concurrents du Kremlin, pour donner à la vie politique russe un vernis démocratique et lui insuffler la dose de vitalité qui devait l'empêcher de s'essouffler, de sombrer dans l'apathie généralisée. Lui qui avait poussé le président à reprendre la main sur les oligarques, sur les gouverneurs et les barons locaux.

Quand Henrik avait lancé le nom du Tchétchène, il n'avait pas pensé à tout cela. Il savait juste que Sourkov était revenu dans le jeu à la faveur de la crise ukrainienne. Après le foutoir des premiers mois, il avait été rappelé pour ramener un peu d'ordre dans les rangs séparatistes. C'était lui le superviseur en chef, celui qui distribuait les bons points, le fric, les ordres et les remontrances. Autant dire le pape.

Le jeu était risqué, mais il avait apparemment fonctionné. Aux yeux de l'autre type, malgré son air fatigué et ses habits sales, Henrik était maintenant une huile de Moscou, point barre.

Il devait seulement faire attention à gommer son accent traînant, ces *g* prononcés à la manière du Donbass, *h* très aspirés. Dans la steppe minière, le gaz devenait du « haz », et les roquettes Grad, des « Hrad ». Il faudrait faire attention en sortant, aussi, à ce qu'on ne le voie pas enfourcher la vieille moto d'Arseni. Pas crédible pour un membre de la garde rapprochée de Sourkov.

— Viens boire un coup avec nous, *bratan*, trancha le colosse. Micha, ramène un verre pour le

Moscovite ! beugla-t-il par-dessus la tête des putes indifférentes.

Henrik était déjà bien pété. Il était passé au cognac, les autres en étaient encore à la vodka. Mais il voulait boire encore. Et bizarrement, l'idée de boire avec eux faisait son chemin. Des frères en humanité ! Il se dit cela en se marrant, mais il y croyait. Parce qu'il était bourré, mais aussi parce qu'après avoir expulsé une bonne dose de rage et de violence il se sentait apaisé. L'autre l'avait appelé *bratan*. Frère. C'est comme ça que les hommes du Donbass s'interpellaient. *Bratan*. Même entre inconnus, pour demander une cigarette ou son chemin. Un truc de durs, d'hommes sûrs de leur force, de mineurs. Cela n'empêchait pas les embrouilles, les arnaques, les jalousies, mais il y avait entre eux comme une présomption d'amitié. La guerre n'avait pas tout cassé. Henrik rigola, encore. Il était au milieu de ses ennemis ; trois heures plus tôt, il avait tué un homme. Et voilà qu'il était pris par un élan de tendresse, un tourbillon de fraternité mielleuse.

— *Bratan*, dis-nous les nouvelles de Moscou !

Henrik n'avait pas mis les pieds dans la capitale depuis bien vingt ans, mais il se sentait en verve. La *capitale* ? Il avait suffi qu'il passe la ligne de front pour rendre à Moscou, sans y penser, son rang d'antan ! L'alcool, encore, mais il faut croire que le citoyen soviétique qui sommeillait en lui n'était pas enfoui bien loin.

D'un coup, il se vit à Moscou. Pas celui crasseux et

dangereux qu'il avait abandonné à son retour d'Afghanistan, mais cette ville moderne qu'il connaissait mal, surtout par la télévision. Il voyait tout, distinctement, il marchait sur les trottoirs immaculés.

— Les gars, Moscou n'existe plus, commença-t-il, et il comprit immédiatement que son rêve ne l'emmenait pas là où il fallait. C'est une capitale européenne, maintenant. Eu-ro-pé-enne, tu saisis ! Finis les bouges où les types comme nous passaient se boire une bière ou cinquante grammes de vodka en sortant de l'usine. Il n'y a plus de bouges, plus d'usines. Alors oui, c'est beau, tout est beau. La place Rouge est belle, le Kremlin est beau, le monastère de Novodievitchi est beau, le parc Gorki est beau… Tout est propre, rénové, retapé, marbré. Il y a des touristes, du wi-fi, des cafés lounge qui passent de la merde d'electro comme ici. Tu ne croises plus une seule Lada, que des 4×4 allemands. Les culs des filles sont beaux, eux aussi, ils sont devenus plus ronds, elles ont appris à les rouler bien proprement en marchant sur leurs talons. Mais tu sais quoi, c'est chiant à se tirer une balle. C'est pas fait pour nous. C'est pour les riches, les puissants, eux, ils se sentent exister là-bas, tout respire le fric et la domination. C'est pour les jeunes prétentieux qui font du skate, pour les pétasses qui se croient arrivées parce qu'elles boivent des cocktails. Les types comme nous sont relégués. Encore plus sûrement que du temps de l'Union soviétique, quand tu ne pouvais même pas rêver de débarquer à Moscou sans contacts. Aujourd'hui, c'est le fric qui te retient en dehors du périmètre. À nous Brateevo, Solntsevo, Krylatskoïe... À nous les sous-sols du métro et les banlieues infinies. Des kilomètres de tours, pourries ou neuves, c'est la même chose. Les trottoirs sont plus ou moins sales, mais les gamins qui y grandissent sont les mêmes, violents, envieux, étroits.

Henrik s'arrêta, épuisé. Il avait débité d'une traite son discours de vieux réac. Injuste et caricatural, il le savait, mais il n'avait jamais aimé Moscou. Alors que la Troisième Rome aille se faire foutre.

Les autres le fixaient en silence, sonnés. Son laïus ne cadrait pas vraiment avec son personnage de haut fonctionnaire en mission auprès de l'important Sourkov. Mais il ne sentit chez eux aucune méfiance, seulement une légère surprise. Il vit même une larme poindre au coin de l'œil de son copain le colosse. Celui-ci s'approcha et l'étreignit.

— Il a du bon, notre Donbass ! On est bien, chez nous ! tonna-t-il.

C'était donc ça. Ce n'est pas la disparition de Moscou-le-phare-du-monde-russe que le colosse pleurait. Ses larmes étaient des larmes de joie. Il retrouvait sa fierté d'homme du Donbass. Il se souvenait que sa région, même dévastée par la crise et la guerre, était riche et belle, que les skates et les cocktails n'y avaient pas encore droit de cité.

Les autres approuvèrent bruyamment. Deux carafes de vodka furent vidées en un éclair.

— À nos champs de tournesols ! cria une voix.

— À nos terrils ! répondit une autre.

Les larmes coulaient désormais sans s'arrêter sur les joues du colosse.

— Vous combattez, vous ?

C'est Henrik qui avait posé la question, ramenant en un instant le silence. Tous le regardaient.

— Disons qu'on est plutôt dans l'encadrement, répondit celui que les autres appelaient Micha.

— Dans l'encadrement économique ! reprit un autre en ricanant.

Henrik n'avait pas envie de connaître les détails. Il était fatigué de cette guerre où, des deux côtés, les profiteurs tiraient leur épingle du jeu. À Donetsk, tout se faisait à visage découvert. Les hommes du grand chef, Alexandre Zakhartchenko, avaient mis la main sur toutes les sources de revenus, des usines aux trafics en passant par les commerces les plus insignifiants. Le grand chef s'était fait dessouder et le suivant avait pris le relais. Ses copains du soir avaient apparemment trouvé où se servir.

— Mais avant, vous avez combattu ? insista-t-il.

— Bien sûr qu'on a combattu, continua l'un des types. Dès le début ! Mais quand les choses sont devenues sérieuses, on a laissé la main à vos gars. Tu veux la vérité ? On s'est sentis un peu humiliés, à se retrouver relégués au contrôle des check-points. Mais il faut avouer que vos tankistes ont fait le boulot, et bien.

La lassitude qui commençait à gagner Henrik se transforma en colère sourde. Les aveux de ces types bien nourris et contents d'eux lui rappelèrent la sortie de Poutine après la défaite de Debaltsevo, en 2015, l'une des plus cuisantes de l'armée ukrainienne, qui y avait laissé près de deux cents hommes, sans compter les blessés et les prisonniers. Malgré le flot d'alcool qui coulait dans ses veines, Henrik fit un effort pour se rappeler les mots exacts du Russe. «C'est toujours malheureux, la défaite, surtout contre des mineurs et des conducteurs de tracteur», avait feint de s'amuser le maître du Kremlin, alors même que la participation russe à la guerre était depuis longtemps un secret de Polichinelle. Le cynisme de la phrase avait fait s'étrangler Henrik. En parlant de la sorte, le président russe ne se contentait pas de pisser à la face de l'armée ukrainienne. C'est sa propre armée qu'il bafouait. Que pouvaient penser les appelés russes envoyés combattre à Debaltsevo? Ceux qui avaient brûlé dans leurs tanks? Leurs mères? Guerre dégueulasse.

La rosée de l'aube avait gelé, transformant la plaine vert pâle qui s'étendait devant Henrik en un champ tacheté d'étoiles scintillantes. À l'orée de la prairie, quelques fleurs encore chétives émergeaient du sol mouillé, dissimulant mal le policier tapi dans le fourré. Le paysage féerique rendait légèrement plus supportable la sarabande qui jouait dans sa tête. Henrik avait bu jusqu'au petit matin avec ses nouveaux copains séparatistes. Ils n'avaient plus parlé de la guerre et le flic avait partagé ses élans fraternels. Il se souvenait s'être retrouvé sur les berges du Kalmious, à tirer dans l'eau avec les kalachnikovs des rebelles. Eux voulaient absolument essayer son vieux Tokarev. Une patrouille de police était passée, mais les autres avaient gueulé et les flics étaient partis la queue entre les jambes. Des seigneurs.

Il avait enfourché sa moto aux premières lueurs du jour, quand les types s'étaient enfin résolus à aller rejoindre les putes du Ramada. Pauvres filles. La matinée s'annonçait rude, après leur nuit blanche. Il avait roulé lentement vers le nord, frissonnant de froid. À deux reprises, les papiers d'Arseni lui avaient

245

permis de passer les check-points des séparatistes. Sans problème : les soldats n'avaient pas envie de se coltiner un alcoolo rentrant dans sa campagne sur une vieille moto Oural, et l'appareil sécuritaire de la république n'était apparemment pas assez rodé pour qu'un avis de recherche ait été lancé après l'incident de l'avenue de la Garde-Rouge.

Il avait pris vers l'est, direction Marinka, espérant pouvoir conduire d'une traite jusqu'à Avdiïvka. La moto était bonne, il s'y était attaché. Sa carte militaire indiquait un sentier non miné par lequel il pouvait espérer éviter les soldats. Décision d'ivrogne : il s'était perdu dès qu'il avait quitté la route principale. Dans les champs boueux, l'Oural était incontrôlable et il s'était résolu à l'abandonner devant une ferme. Un paysan saurait en faire bon usage.

À présent, il guettait. Le champ lui inspirait une méfiance diffuse. Trop beau, trop peu pratiqué. La direction était la bonne, mais il était incapable de se repérer sur la carte. Dans son dos, le silence de l'aube fut soudain troublé par un meuglement sonore. Un troupeau de vaches s'avançait dans sa direction, prêt à traverser le champ. Avant qu'Henrik ait eu le temps de réagir, une bête énorme, marron et blanche, aux pis extraordinairement gonflés, s'était engagée dans le champ. Elle fut suivie d'une dizaine d'autres et de quelques veaux chétifs. La sarabande reprit de plus belle dans la tête du policier. En un éclair, il imagina les pis gonflés éclater sous l'effet du souffle des mines, il se vit recouvert de lait et de sang. Il se leva et se mit à marcher rapidement derrière les vaches, agitant les bras pour les faire bifurquer. Le troupeau s'emballa, déclenchant la cavalcade. À la première explosion, Henrik ferma les yeux, sans s'arrêter de courir. Il criait, mais sa voix était couverte par le bruit des mines antipersonnel. Une, deux, trois… Il distinguait confusément les éclairs. Il hurlait des mots sans cohérence, les vaches répondaient. Dans le tumulte, il distingua le meuglement plaintif d'un veau qui l'appelait. Il courut dans sa direction. Le bout du champ était en vue, mais les explosions se poursuivaient, régulières. Henrik trébucha sur une racine, perdit connaissance.

Quand il se réveilla, le soleil était déjà haut au-dessus de l'horizon. Son téléphone ne fonctionnait plus ; il devait être aux alentours de 10 heures du matin. Il sentit une caresse rêche sur sa joue. Un veau était en train de lui lécher le visage. Celui qui l'avait appelé, il en était certain. « Tu es vivant », murmura Henrik, et le veau meugla doucement. Le policier eut à cet instant la certitude qu'Arseni n'avait pas tué le petit Sacha Zourabov. Il regarda autour de lui. Les vaches s'étaient regroupées et le fixaient sans gêne. Il n'y avait pas de sang, pas de pis éclaté, le troupeau semblait au complet. Henrik se leva et regarda dans la direction du champ. Les étoiles de rosée avaient disparu, laissant nue l'herbe pâle. Le champ était vide. Pas de cratère, pas la moindre trace d'explosion. Sur son front, un peu de sang avait séché. Il repensa à ce que lui avait dit son ancien adjoint, Petia

Vassiliev : à l'époque où la police d'Avdiïvka l'avait arrêté, Ostapovitch n'avait ni nié ni avoué avoir tabassé un homme. « Saleté de fierté mal placée », lui avait dit Vassiliev. Cette fois, c'était différent. Arseni n'avait pas avoué le meurtre du gamin tout simplement parce qu'il ne l'avait pas tué, mais il avait trop de sang sur la conscience pour nier. Il n'avait reconnu qu'un meurtre, celui de Talukan. L'avait-il vraiment commis ou s'était-il convaincu, plus tard, d'être l'auteur de cet acte qui l'avait bouleversé ? Henrik se mit en marche en direction d'Avdiïvka. Il était aussi coupable qu'Ostapovitch. Pas seulement, à l'époque, d'avoir laissé mutiler le gamin afghan, mais de l'avoir ensuite effacé de sa mémoire. D'avoir réussi à l'évacuer de son passé pour s'offrir l'illusion de son absence, l'illusion d'une vie normale. Il se retourna une dernière fois pour dire au revoir aux vaches. Il déconnait.

Avant d'être convoqué chez le général Vassilkov, Henrik avait eu le droit de prendre une douche. À moins que ce ne fût un ordre, ce qui n'était pas impossible vu son état. Il s'était remis en uniforme avant de pénétrer dans son propre bureau, dans lequel était installé le général, arrivé le matin même de Kramatorsk. Le capitaine Igor Balouga se tenait en retrait. Henrik avait presque l'air présentable, hormis ses yeux vitreux et la légère écorchure qui barrait son front. Les autres le regardaient avec un mélange de curiosité et de crainte. Il leur avait brièvement raconté son expédition et ils attendaient maintenant un rapport détaillé.

— Félicitations, colonel Kavadze ! attaqua le général. Nous nous réjouissons tous que ce meurtrier ait été mis hors d'état de nuire. Tu as agi avec clairvoyance, audace… et une stupidité sans nom. (Le ton de Vassilkov avait soudain changé. Il se propulsa hors du fauteuil d'Henrik.) Tu te rends compte de ce que tu as fait ! cria-t-il. Aller seul de l'autre côté, sans prévenir personne ! Tu aurais pu te faire tuer ou, pire, capturer ! Nous aurions eu l'air malin, quand ils t'auraient exhibé à la télévision. Combien des leurs on aurait dû leur rendre pour obtenir ta libération ? Ou bien tu aurais préféré qu'ils te transfèrent discrètement en Russie pour t'offrir un beau procès public ? Aucune enquête ne méritait de prendre ce risque, Henrik. Ton vieux corps pourri vaut plus que celui de ce gamin, c'est aussi simple que ça. J'aimerais que nous n'ébruitions pas cet épisode. C'est une faute lourde, mais je vais passer l'éponge, eu égard au succès de ta mission. Et en l'honneur du bon vieux temps.

Quel bon vieux temps ? se demanda Henrik, légèrement assommé par le discours de son supérieur. À l'époque où il travaillait à Donetsk aux côtés de Vassilkov, ce dernier s'était montré particulièrement doué pour tisser de bonnes relations avec les truands. Et ceux-ci, en retour, savaient se montrer généreux. Il avait pris fait et cause pour Izmaïlov dans sa guerre contre le Grec et le Juif. La police de Donetsk était même l'un des principaux atouts de l'Ouzbek. Henrik n'avait pas joué les chevaliers blancs, il n'avait pas cherché à lutter, mais il avait tout fait pour rester à l'écart. Il n'avait pas accepté l'argent que les hommes d'Izmaïlov lui proposaient. Ça n'était pas précisément glorieux, mais ça suffisait à le placer dans une autre équipe que celle du général. Pour toute réponse, il se contenta de grogner.

— Finies les réprimandes, dit Vassilkov en tendant la main à son subordonné. Tu as été bon, Henrik. Tu nous as tous surpris. Je m'assurerai que le ministre soit informé de ton succès. Cette ville va pouvoir retrouver sa tranquillité. Enfin, sa… vie ordinaire, se corrigea-t-il.

— J'ai un doute, Serioja.

Henrik avait parlé à voix basse. Vassilkov avait entendu mais il le fit répéter.

— Je ne suis pas certain d'avoir tué le meurtrier de Sacha Zourabov, dit le colonel d'une voix encore plus basse.

Il avait profité de sa douche pour rassembler les miettes de son cerveau encore en état de marche et réfléchir. Le malaise qui s'était emparé de lui à son réveil dans le champ ne le quittait pas.

— Il y a quelques éléments matériels, reprit-il, mais qui ne sont pas probants à cent pour cent. Ostapovitch n'a pas formellement avoué le meurtre. Ce type est un tordu, peut-être un assassin, mais il n'a pas reconnu avoir tué le jeune Zourabov. Il a tout fait pour que je le tue, jusqu'à me menacer. Serioja, pour dire les choses clairement, je crains d'avoir tué un innocent. Innocent de notre meurtre, en tout cas.

— Henrik, calme-toi. Je vais te dire quelque chose et tu vas t'en souvenir une bonne fois pour toutes. Appelle ça une vérité, si tu veux. Il n'y a pas d'innocents là-bas, de l'autre côté…

— Tous méritent de mourir ?

— Personne ne mérite de mourir.

— Et ici ?

— Ici, il n'y a que des « un peu moins coupables ». Tu crois quoi ? Les gens d'ici se seraient très bien accommodés des séparatistes, si c'étaient eux qui avaient gagné. Beaucoup les ont soutenus, beaucoup auraient continué à le faire. La plupart s'en foutent, ils veulent juste bouffer. Mais ce sont nos concitoyens, nous leur devons protection. À ceux d'en face, nous ne devons rien.

Balouga avait écouté sans rien dire. Il paraissait stupéfait. Finalement, il n'y tint plus :

— Mais de quoi parlez-vous, tous les deux ? Colonel, l'acte de naissance n'est pas un élément probant ? Général, l'acte de naissance retrouvé chez Ostapovitch !

— Voilà, l'acte de naissance ! répéta Vassilkov d'une voix bonhomme et satisfaite. Henrik, tu as dessoudé ce cinglé de tueur, qui plus est en état de légitime défense, et tu chipotes. Je ne comprends rien à vos histoires d'anciens combattants mais elles te courent trop sur le système. Va te reposer, tu écriras ton rapport plus tard et tu te rendras compte toi-même que tu as parfaitement agi.

Henrik revint à la forme de communication qui correspondait le mieux à son état : le grognement.

Le policier avait retrouvé son antre du café Out. Il avait envie de vomir. Même assis, il tanguait, sa tête était lourde. En sortant du commissariat, il avait docilement écouté le conseil de son supérieur et était rentré chez lui. Taciturne, épuisé, il s'était allongé sur le canapé et s'était endormi sans adresser la parole à Anna. Sa femme lui avait préparé des pommes de terre et de la viande, qu'il avait avalées sans se départir de son humeur maussade. Il n'était ressorti que le soir venu. L'ivresse lui paraissait inaccessible, dans l'état semi-comateux où il était plongé, mais il voulait boire. Les pièces du puzzle s'assemblaient et ce qu'il voyait le terrifiait. Il s'était aveuglé et avait tué un innocent. Un compagnon d'armes. Arseni avait cherché la mort, cela faisait peu de doutes, ses provocations étaient une supplication. Mais l'erreur qu'avait commise Henrik, le piège dans lequel il était tombé, l'accablait.

— Henrik, ça va taper dur, ce soir ?

Nadia, la serveuse, le fixait avec anxiété. Pourquoi croyait-on encore, dans cette ville, qu'il savait des choses que les autres ignoraient ?

Henrik n'avait pas même prêté attention au son lourd de la canonnade, au rythme lancinant des explosions. Elles avaient débuté peu après son arrivée, mais sans troubler le policier. Les bombardements étaient pourtant plus intenses et plus proches que d'ordinaire. La guerre était simplement devenue pour le policier une compagne plus acceptable que Sacha Zourabov et Arseni Ostapovitch. Ou l'enfant de Talukan. Celui-là, Henrik l'avait occulté durant toute sa vie d'homme, jusqu'à le rencontrer à nouveau en rêve. Il sentait qu'il allait désormais devoir lui faire une place dans son bréviaire à souvenirs macabres. Arseni lui avait légué son fardeau, son cadavre cloué au soleil.

Le café se remplissait rapidement. Sa position en sous-sol offrait une protection enviable contre les bombes. Et un foyer de chaleur humaine rassurant.

Henrik buvait seul à une table isolée. À la bière avait succédé la vodka. Les autres clients se serraient aux autres tables mais n'approchaient pas de son coin. Il devait ressembler à une bête sauvage.

Il avait fallu une bourde de Balouga pour que tout s'illumine. «L'acte de naissance»… Son adjoint n'avait pas pu s'empêcher d'y faire référence, voyant la tournure que prenaient les événements. Après sa visite chez Arseni, rue Vorobiova, le colonel s'était contenté de mentionner à ses troupes la découverte d'indices concernant Ostapovitch, sans plus de précision. Jamais il ne leur avait parlé de l'acte de naissance. Non seulement Balouga n'avait aucune raison de connaître l'existence du document, mais, en plus, l'idée qu'Ostapovitch l'ait trouvé sur le cadavre de l'enfant n'avait aucun sens. Alina Zourabova le lui avait confirmé. Henrik l'avait eue brièvement au téléphone, dans l'après-midi. Elle aussi s'éloignait, elle aussi sombrait. « Sacha va bientôt recevoir le statut de héros de l'Ukraine », lui avait-elle dit. Il ne l'avait pas contredite, quand bien même elle nageait en plein délire. Il avait tout de même réussi à lui faire dire l'essentiel : à l'arrivée du gamin à Avdiïvka, elle avait confié l'acte de naissance à sa grand-mère, et la vieille Isabella le conservait dans un tiroir de sa chambre, pour le cas où on lui aurait demandé des comptes quant à la présence du garçon. Sacha n'avait pas son acte de naissance sur lui le soir où il avait été tué. Henrik était fautif : il aurait dû vérifier, avant de partir tête baissée pour Yasinouvata.

Tout aurait dû l'alerter : la porte de l'appartement d'Ostapovitch trop facilement ouverte ? Forcée avant son arrivée par ceux qui y avaient dissimulé le document ! Les informations comme tombées du ciel que lui avait transmises Levon ? Une mise en condition. On l'avait préparé comme on excite un chien méchant. Il avait couru.

Balouga, Levon, qui d'autre encore ? Le général Vassilkov ? Son ancien collègue Petia Vassiliev ? Ils voulaient un coupable, Henrik leur avait fourni mieux : un cadavre.

Les murs du café Out tremblèrent sous l'effet d'une formidable explosion et la lumière s'éteignit. Pas un client ne moufta : on pouvait bien perdre sa maison mais pas sa dignité, et celle-ci exigeait que l'on n'accordât pas une importance démesurée aux broutilles du quotidien. Nadia passait entre les tables, distribuant des bougies. L'ambiance se faisait intimiste, le volume des conversations diminua pendant un moment. Les flammes des bougies projetaient sur les murs de brique des ombres sauvages mais rassurantes. Quelqu'un entra et annonça qu'un obus était tombé sur l'hôpital et un autre sur un immeuble d'habitation de la rue Tchekhov, en plein dans le centre. Une femme cria, quelques clients sortirent à sa suite. Les autres commençaient à s'agiter. La proximité et la violence du bombardement rendaient peu à peu l'atmosphère survoltée. Les tables étaient de plus en plus bruyantes. « Êtes-vous vivants ? Êtes-vous morts ? » demanda Henrik à voix basse. Une ombre s'approcha de lui, et Henrik se dit mentalement : vous êtes morts. Karolina était une habituée du Out. Elle vivait seule en périphérie de la ville et Henrik avait déjà eu affaire à elle. Il lui avait sauvé la mise face à des petits voyous qui voulaient s'emparer de son appartement. La fille était irrémédiablement usée par l'alcool, Henrik fuyait sa compagnie. Son visage au teint blafard était ridé avant l'heure, ses dents gâtées, son corps maigre. Karolina venait en général au Out quand elle avait un peu de fric, se contentant, sinon, des bouteilles qu'elle achetait ou tapinait au supermarché de son quartier. Elle devait être en déveine, puisqu'elle demanda au flic d'une voix pâteuse :

— Henrik, offre-moi un coup à boire.

Ou bien elle avait besoin de chaleur, elle aussi, comme tous les chiots apeurés qui se serraient dans le bar. Henrik lui fit signe de dégager d'un geste de la main. Balouga. Levon. Son ami Levon, qui l'avait trahi, utilisé. Pourquoi?

— Henrik, tu es le seul homme de cette ville à avoir de la prestance, énonça bizarrement Karolina en revenant à la charge. Tu entends? De la prestance.

Bon cul, pensa-t-il en la regardant s'éloigner. Il était complètement bourré.

Une dispute éclata à une table où étaient installés trois types bâtis comme des armoires à glace. Les cris des filles qui les accompagnaient excitaient les hommes. Nadia, la serveuse, tentait de calmer deux d'entre eux qui s'étaient déjà levés. Henrik détourna les yeux. Il entendit seulement le bruit sourd que fit un poing en s'écrasant sur un visage, puis celui des chaises qui valdinguaient. Il se demanda où était Anna. Le bombardement était plus violent que d'habitude, le Vieil-Avdiïvka devait flamber. Il aurait dû se lever et la rejoindre, mais il en était incapable. Elle était peut-être descendue dans la cave. Ou mieux, dans celle d'Antonina Gribounova. La présence de la vieille femme et de son petit Vassili la rassurerait. Elle poserait sa tête contre la poitrine de la vieille et l'écouterait susurrer «ma petite colombe». Lui-même, que n'avait-il fait au nom de ces mots tendres? C'étaient eux qui l'avaient décidé à prendre la route de Yasinouvata. C'était pour eux qu'il restait à Avdiïvka. Où trouvait-on plus d'amour que dans ces colombes murmurées par la vieille, ces colombes capables de voler même sous les bombes?

Karolina était revenue. Elle tendit la main vers le verre à moitié vide d'Henrik, espérant le lui soustraire à la faveur de l'obscurité. Il lui attrapa le poignet et le retint un instant. Sa peau était chaude.

— Viens, dit-il en l'entraînant à sa suite.

Ignorant les regards, le couple tangua vers la sortie du bar. Ils grimpèrent avec difficulté l'escalier conduisant à la rue. La température avait brutalement chuté. L'obscurité dans laquelle était plongée la ville était atténuée seulement par un incendie qui se consumait non loin. L'écho des explosions était plus assourdissant que dans le café, mais Henrik les remarqua à peine. Il tira Karolina derrière lui sur une dizaine de mètres vers un recoin sombre. Les deux trébuchaient à chaque pas. Henrik la fit se pencher contre un arbre, ses fesses maigres tournées vers lui. D'un geste brusque, il baissa son pantalon. Celui-ci était ridiculement entortillé sur ses chevilles quand il la prit, s'enfonçant d'un coup. La fille gémit. Il s'agita en elle quelques secondes et se déchargea longuement. Il s'éloignait déjà quand il entendit dans son dos:

— Et mon coup à boire?

Il marmonna une réponse et partit vers l'Usine.

La partie ouest de la cokerie brûlait. Les flammes étaient immenses, hautes comme des immeubles. À côté, les deux antiques camions dont disposaient les pompiers d'Avdiïvka ressemblaient à des insectes, insignifiants face à l'ampleur de l'incendie nocturne. «L'entrepôt de produits chimiques a ramassé deux obus, l'avait informé le chef des pompiers lorsque Henrik était arrivé sur les lieux, ignorant le drame qui se jouait. On a appelé des renforts de Pokrovsk. Si on tient une heure, on est sauvés.» Henrik avait grogné un vague encouragement et repris sa route vers l'entrée est. C'est elle qui l'intéressait, là que se perdait la piste des caisses qu'il avait suivie. «Le feu attaque le feu», répétait-il à mi-voix.

Il n'eut aucun mal à pénétrer sur le territoire de la cokerie et à localiser le grand entrepôt qui bordait la clôture à proximité de l'entrée est. Tout était sens dessus dessous, des hommes couraient dans toutes les directions, portant des seaux d'eau. Il fit sauter le cadenas de l'entrepôt à l'aide d'une barre de fer et s'introduisit dans l'espace sombre. Il n'avait que la lumière de son téléphone pour s'éclairer, mais il reconnut immédiatement les caisses entreposées dans un coin, celles que les hommes avaient déchargées dans le quartier de la gare, le soir où il les avait observés. Elles étaient vaguement dissimulées sous des sacs de charbon. Transportés, eux aussi, depuis le territoire séparatiste. Henrik dégagea un accès aux caisses et ouvrit la première avec la barre de fer qu'il avait trouvée. Des boîtes de thon. Et sous les boîtes de thon, des sachets de plastique contenant de la poudre brune. De l'héroïne.

La porte du bureau de Levon Andrassian était ouverte. À chaque instant, quelqu'un allait y prendre des ordres, donner des nouvelles de l'incendie. Le directeur était sur le pied de guerre. Henrik entra sans se faire annoncer. L'effet de l'alcool commençait à se dissiper. Il se sentait calme et lucide. Plein d'une rage froide.

Meurtrière.

— Henrik, vieux frère, ce coup-ci ces salauds nous font du mal, dit l'Arménien en l'accueillant.

— Je vois ça, Levon. Le grand incendie…

— Tu ne tombes pas bien, mais accepte mes félicitations. Il paraît que tu as eu Ostapovitch…

— Justement, il y a quelque chose qui cloche, quelque chose dont je veux te parler au calme.

— — Qu'est-ce qui presse ? Ce salaud est hors d'état de nuire. On a vraiment besoin de moi ici.

— Viens.

Levon avait obéi. Peut-être était-ce la voix d'Henrik, sourde, caverneuse, qui l'avait convaincu de suivre son ami. Peut-être avait-il compris. Les deux hommes marchaient sans un mot dans le dédale de l'Usine. L'Arménien ne posa plus de question, même lorsque Henrik se dirigea vers le vestiaire de la direction. Le policier s'effaça pour laisser entrer l'autre. Il saisit le Tokarev dans sa poche et frappa à la base du cou avec la crosse. Levon s'écroula.

Son corps devait peser dans les cent kilos. Henrik rassembla toutes ses forces pour le tirer à l'intérieur du *banya*, le déshabiller et l'installer sur le banc de bois. Il lui jeta un seau d'eau froide au visage puis sortit, verrouillant la porte à l'aide d'un rondin. Le colonel régla le thermostat sur cent dix degrés. Il aurait pu faire preuve de plus de raffinement et commencer par une température moins élevée, mais il n'était pas d'humeur joueuse. Il n'y avait jamais eu de demi-mesures et de faux-semblants entre Levon et lui. Jusqu'à la trahison de l'Arménien.

Levon émergea. Il avait compris. En silence, il lança toute sa masse contre la porte. Celle-ci trembla mais ne céda pas. Levon répéta l'opération à trois reprises, avant de s'attaquer aux autres murs. Henrik avait l'impression que l'Usine entière vibrait sous les coups de boutoir, mais le sauna tenait bon.

Le flic plaça enfin son visage face à la petite lucarne de verre épais qui faisait une trouée dans la porte. L'autre s'approcha. Ils se faisaient face. Le visage de l'Arménien dégoulinait déjà.

— Sur combien tu as réglé le thermostat, James Bond?

— Cent dix.

L'autre réfléchit.

— La mort…

— La mort.

Il y eut un silence.

— C'est de l'héroïne, avec tes boîtes de thon?

La question n'en était pas vraiment une et Levon se contenta d'un mouvement de la tête.

— D'où vient-elle?

— Afghanistan.

Levon voulut sourire mais il grimaça. Le sauna était sec, il pouvait espérer tenir cinq ou six minutes. Guère plus.

— Quel est l'intérêt de la faire transiter par ici?

Levon sourit pour de bon. Il prenait soin d'articuler chaque mot, comme si chacun d'eux avait une importance vitale.

— L'héroïne afghane a toujours transité par la Russie et l'Ukraine, avant d'atterrir en Europe. La guerre n'a pas stoppé ce circuit, au contraire… En passant par le territoire séparatiste, tu dois traverser non plus une frontière, mais deux. Mais quelles frontières… Celle entre la Russie et les séparatistes est ouverte aux quatre vents, et la ligne de front qui passe chez nous est un gruyère. Le nouveau trajet est moins risqué et moins cher…

— Qui est au courant?

— Mais tout le monde, Henrik! Tout le monde et personne à la fois. L'armée, le ministère de l'Intérieur, le gouverneur, tout le monde sait que le trafic existe. Ce serait impossible autrement, tu ne fais pas transiter des kilos d'héroïne sans que personne le sache. Seulement, ils ne connaissent pas les détails et s'en satisfont pleinement. Ils se contentent de recevoir de l'argent tous les mois sans avoir à toucher à quoi que ce soit d'illégal, peut-être même sans savoir qu'il s'agit de drogue. Ils ferment les yeux. Tu ne vois rien, Henrik. Ou bien c'est pire : tu vois, mais tu refuses d'admettre. Tu affrontes tes moulins à vent, tu veux sauver l'humanité entière, mais tu ne sais pas comment vivent les gens autour de toi.

— Qui met les mains dans le cambouis ?

Le visage de Levon était cramoisi. Il recula et se laissa tomber sur le banc. Le bois devait être brûlant sous ses cuisses. Il se tut un instant. Chaque mot était une souffrance.

— Qu'est-ce que ça change maintenant ? dit-il pour lui-même. Balouga et moi, reprit-il plus fort, c'est lui qui m'a proposé l'affaire, il y a six mois. Il était chargé d'organiser le passage de la ligne de front et l'envoi vers l'Ouest. Il contrôle aussi le trafic à Avdiïvka même et dans les environs. Moi, j'assure la logistique.

— Bien sûr, tu es un gestionnaire hors pair… Charbon, came… Quelle différence ? Tu as oublié combien de nos amis sont morts de l'héroïne ? Le *père de famille* que tu es a oublié ce que ça veut dire, un déferlement de drogue sur notre ville ?

Levon ne répondait rien. Henrik reprit :

— Lequel d'entre vous a tué le petit Zourabov ?

— On n'a rien à voir avec ce meurtre, Henrik ! C'est une mauvaise coïncidence et tu le sais bien. Le mauvais endroit...

Henrik gardait le silence, fixant Levon d'un air dur. Celui-ci prit peur. La mort brûlante commençait à bouillir dans ses veines.

— Putain, Henrik, on l'a pas tué ! Mais tu crois quoi ?

Henrik continuait à se taire. Le cri de l'autre était un cri de panique, celui d'un homme qui refuse de mourir.

— Nous avons eu peur que les choses dérapent, reprit Andrassian en s'efforçant de parler calmement. Que toi ou quelqu'un d'autre s'agite, fouille et finisse par trouver ce qu'il ne cherchait pas. Un jeune dealer s'est mis à vendre aux soldats... On a fait le ménage, mais tout ça devenait incontrôlable. On a réagi en urgence. Le chargement que tu as trouvé avec les boîtes de thon était le dernier. Il devait quitter l'usine demain, ensuite on fermait boutique. Balouga a complètement coupé le robinet à Avdiïvka. Et entre-temps, Ostapovitch est arrivé comme un cadeau de la Providence.

— Pourquoi lui ?

— Parce que c'était facile ! L'idée m'est venue à l'enterrement. Tout était limpide, il n'y a que toi pour ne pas avoir compris qu'il parlait d'Afghanistan, de meurtres passés. Avec son profil, il était le coupable parfait. Mes hommes m'avaient signalé qu'on l'avait vu errer dans le quartier de la gare. Devant un tribunal, il aurait tenu dix minutes, surtout avec l'acte de naissance du petit retrouvé chez lui. C'est Balouga qui s'en est chargé… Je ne pensais pas que tu le tuerais… À vrai dire, je m'en moquais. C'est un fou dangereux. Il est revenu complètement détraqué de ton Afghanistan. Vous êtes tous revenus détraqués…

La voix de Levon était de moins en moins audible. Henrik vit des cloques grosses comme des œufs se former sur ses épaules. Il grimaçait de douleur. Henrik sentait la chaleur à travers le hublot.

— Et c'est pour ça que tu as sacrifié le premier pauvre type venu et trahi notre amitié, Levon ? Pour l'héroïne ? Pour l'argent ?

— Je veux partir d'ici, loin. Les temps ont changé, tu sais. J'ai un salaire confortable, mais je ne suis pas riche. Finies les grosses valises de billets, on mène un business normal. Quand Balouga m'a proposé de travailler avec lui, j'ai compris que c'était l'occasion de quitter enfin cette région. Partir loin. Loin de ce foutu Donbass, de la guerre. Je ne suis pas un romantique comme toi, Henrik. J'en ai bouffé, de ce charbon qui s'infiltre partout, des manières des gens d'ici, du froid. De la guerre… Il me fallait du fric pour repartir à zéro. Qu'est-ce que je pouvais faire ? Partir en Espagne ramasser des fraises ?

Levon donna un coup de poing désespéré dans le mur. Le geste lui arracha un cri : l'air était si brûlant que le moindre mouvement déchirait la peau. Il reprit dans un souffle :

— Si Olia avait été là, je n'aurais pas accepté…

Henrik baissa la tête. Il baissait toujours la tête quand Levon lui parlait d'Olia. Elle avait été l'une des premières victimes de la guerre, l'une des premières dont il fut proche. Elle était morte en mai 2014, avant même le début du véritable conflit armé. On ne connaissait pas les règles du jeu, alors... Levon conduisait avec sa femme derrière un convoi séparatiste. Trop près, sans doute. Un type dans le camion de queue avait perdu la boule et envoyé une rafale sur la voiture. Olia avait été touchée. Bien sûr, les séparatistes étaient désolés, leur chef avait conduit les Andrassian à l'hôpital, menacé le médecin de le tuer s'il ne sauvait pas la femme. Ça n'avait pas suffi...

— Peut-être que tu me pardonneras un jour, Henrik...

Le flic eut envie de hurler. Combien d'innocents étaient morts dans cette guerre ? Quelle différence cela faisait-il si Levon continuait à vivre alors que le corps d'Arseni Ostapovitch pourrissait dans une station-service de Yasinouvata ? Il avait déjà pardonné à son ami, il le savait. Les liens du sang et du charbon... Qui faisait la différence entre les innocents et les coupables ?

Il libéra la porte et jeta un regard à travers la vitre. Levon était à genoux, tête posée au sol. Son dos avait pelé, la chair était à vif. Henrik sortit dans la cour de l'Usine et huma l'air empli de fumée. L'incendie avait atteint l'entrepôt où était stockée l'héroïne.

Vassili avait élargi son terrain de jeu. Il avait désormais la permission, une fois atteint le coin de la rue, de poursuivre jusqu'au croisement suivant. Sa collection avait grandi, enrichie par la découverte d'une pièce formidable, un tube de métal brillant avec de petits ailerons. L'objet était si beau que Vassili ne s'était pas encore résolu à l'enterrer avec les autres. Il le gardait précieusement dans un fourré devant la maison de *babouchka* Antonina. Hier, sa maman avait appelé. Il avait failli lui en parler, mais il s'était abstenu. Il était grand désormais, il savait garder un secret. Les fourmis étaient revenues. La première qu'il avait vue, Vassili n'avait pas pu résister et il l'avait tuée. Par curiosité. Ou peut-être pour les punir d'être parties aussi longtemps. Il n'avait pas recommencé. Depuis, il se contentait de jouer avec elles. Il plaçait ses mains en triangle sur le sol et attendait que la fourmi soit forcée de l'escalader. Puis il la laissait parcourir tout son corps. Parfois, il en attrapait une et la déposait dans une fourmilière étrangère. Une grosse fourmi dans une fourmilière de petites... Il regardait le combat, terrible.

Ce matin-là, Vassili sortit de la maison en t-shirt sans manches et en short. Le soleil de mai lui caressait la peau. Antonina était partie, mais il se sentait sûr de lui. Devant le seuil de la maison, il s'allongea un instant dans l'herbe. Un homme passa à côté de lui et lui sourit. Lui aussi portait un t-shirt sans manches. Il était musclé, fort, bronzé. Vassili se demanda si son papa était fort, lui aussi. Il reprit sa progression et atteignit rapidement le pêcher qui marquait la limite de son territoire. Encore un tournant et il s'arrêta devant la maison aux volets toujours fermés. Il tendit l'oreille. On n'entendait pas d'explosions, il n'aurait pas à courir rejoindre *babouchka* Antonina. Dans la maison, un volet bougea, Vassili en était sûr. On l'observait. Il s'enfuit en courant.

Le printemps était venu et n'avait pas apporté la grande offensive séparatiste annoncée par le général Vassilkov. Les escarmouches et les bombardements se poursuivaient, irréguliers. Avril avait été calme. Mai avait débuté par des échanges de feu nourris. Dans les capitales européennes, on discutait de moins en moins du sort de l'Ukraine. Les plans de paix étaient enterrés. Moscou faisait semblant de s'offusquer, mais ses chargements d'armes continuaient de franchir la frontière. Les soldats se préparaient à un nouvel été de guerre. Dans leurs tranchées, la boue avait séché. La nuit, on y voyait les étoiles.

Dans les premiers temps, au début du mois d'avril, Henrik avait remué ciel et terre. Il avait écrit, téléphoné à Kramatorsk et à Kiev. Il voulait tout : que les responsables du trafic de drogue soient châtiés, qu'Arseni Ostapovitch soit réhabilité. Ses lettres étaient interminables, elles dénonçaient la machination à laquelle il avait prêté la main. Personne ne lui avait répondu, ni au ministère de l'Intérieur ni à celui de la Défense. Vassilkov ne prenait pas ses appels et on n'avait plus revu le général en ville. Son agitation n'avait eu qu'un seul effet : Balouga avait été muté, nommé chef de la police d'une ville moyenne, quelque part dans l'ouest de l'Ukraine. Henrik avait contacté des journalistes à Kiev. Ils étaient intéressés mais voulaient le rencontrer, à Avdiïvka. Le flic avait attendu leur venue en vain. De quelles preuves disposait-il, de toute façon ? On lui avait fait comprendre qu'il ferait mieux de cesser ses gesticulations. À deux ans de la retraite, il aurait été dommage qu'il soit sanctionné.

Le vieux colonel n'avait revu ni Ioulia, ni Alina Zourabova, ni Levon. On attribuait les brûlures de l'Arménien à sa lutte héroïque contre les flammes, la nuit de l'incendie de la cokerie. Son prestige en ville en avait été encore renforcé. L'Usine avait survécu, elle s'était relevée. La ville avait accepté avec soulagement la nouvelle de la mort d'Arseni Ostapovitch. Il y avait eu quelques courts articles dans la presse locale, Henrik Kavadze y était cité. Les journalistes ne manquaient pas de rappeler, outre son rôle clé dans la résolution d'une enquête épineuse, sa résistance précoce aux séparatistes, en 2014. Petia Vassiliev l'avait appelé de Donetsk. Lors d'une enquête de routine, à Torez, on avait mis la main sur un gamin qui avait raconté avoir vu, un an plus tôt, un de ses copains s'empaler sur une grille en tentant d'attraper des pommes dans un jardin. Le gamin en avait parlé à ses parents, qui avaient préféré ne rien dire.

Henrik allait peu au commissariat, quelques heures par semaine. Il se contentait d'y expédier les affaires courantes. Ses hommes le regardaient avec tristesse, mais personne ne lui faisait de réflexion. Ne venait-il pas de boucler brillamment l'enquête sur la mort de Sacha Zourabov ?

Le reste du temps, il le passait chez lui. Les journées ensoleillées, il sortait une chaise en plastique et s'installait devant sa porte, saluait les passants, prenait quelques nouvelles et attendait. Parfois seulement, il lisait. L'enfant de Talukan n'était plus venu le visiter. Il lui était arrivé de l'apercevoir, brièvement, quand il restait assis devant la maison. Ils avaient fait la paix.

Henrik avait aussi planté quelques graines dans un coin du jardin. Anna l'avait aidé, timidement, acceptant le rôle de commandante en second. À l'été, ils auraient des tomates, des courgettes, de la menthe… Ils s'adressaient seulement quelques sourires et échangeaient peu de mots. Leur conversation la plus longue avait concerné le poste de télévision du salon. Ils avaient décidé de s'en débarrasser et l'avaient porté à Antonina Gribounova. La vieille femme rêvait depuis longtemps de disposer d'un écran dans sa chambre à coucher.

Le 17 mai, il y eut un nouveau meurtre. Henrik travaillait dans le potager quand il reçut l'appel du commissariat. On évoquait un enfant de sexe masculin, retrouvé pendu. Il avait été découvert le matin même, rue Lermontov, tout près de chez lui ! Henrik posa sa bêche et s'assit dans l'herbe. Cela recommençait. Ces dernières semaines, il pensait de moins en moins au petit Sacha. Il s'était convaincu que le garçon avait été la victime d'un maraudeur. Un homme qui avait dû traverser la ville, une seule nuit, avant de s'évaporer dans la steppe. Il s'était trompé.

L'enfant s'appelait Nikolaï Kravtchenko. Il avait 7 ans et habitait avec ses parents rue Souvorov, dans le Vieil-Avdiïvka. Les parents étaient déjà sur place quand Henrik arriva. On avait réussi, patiemment, à leur faire récapituler l'emploi du temps de Nikolaï. Le garçon était sorti vers 7 heures, comme tous les matins, pour prendre le bus scolaire. Une voisine l'avait aperçu à l'arrêt de bus à 7 h 10, mais il n'était jamais parti. L'arrêt se trouvait à trois cents mètres de sa maison et une retraitée avait découvert le corps de Nikolaï encore trois cents mètres plus loin. Quelqu'un avait apporté une couverture et le jeune couple s'était assis au bord du chemin, le père enlaçant délicatement sa femme. Les deux avaient longtemps hurlé et pleuré, avait-on dit à Henrik. Ils étaient à présent silencieux, prostrés. « Kolia, Kolia », pouvait seulement murmurer la femme.

L'enfant était presque entièrement nu, vêtu uniquement d'un slip de toile bleu pâle. Il était accroché à mi-hauteur d'un poteau électrique, pendu à une baguette de soutènement du pylône de bois. Qui faisait cela ? Quel genre de meurtrier déshabillait sa victime mais prenait soin de lui laisser son slip ? À l'horreur s'ajoutait le raffinement : on l'avait visiblement hissé en utilisant la tige en bois comme poulie. Un long morceau d'étoffe rouge faisait office de corde. Son visage commençait déjà à bleuir, mais il était difficile de dire la cause de la mort de l'enfant : une plaie encore béante apparaissait sur sa poitrine, de la taille d'une lame. Du sang s'en était écoulé jusqu'à tacher le petit slip. Il avait apparemment été frappé par la lame avant d'être accroché à son horrible présentoir. Des taches de sang conduisaient sur quelques mètres à un fourré où l'herbe était aplatie. C'est probablement là aussi qu'il avait été déshabillé.

— Détachez-le de là, bordel ! put seulement dire Henrik.

Une horrible sensation de déjà-vu s'était emparée du policier. Deux mois après la mort du petit Sacha Zourabov, il était à nouveau dans son bureau, tenant entre ses mains l'arme avec laquelle on avait assassiné un enfant. En plein jour ! À deux pas de chez lui ! Il se força à respirer et s'enfonça dans son fauteuil. Le grincement était lui aussi trop familier. La fissure au plafond le narguait. Elle ne l'avait pas attendu pour s'envoler vers la fenêtre. Il était seul.

Henrik avait songé à abandonner. Ce deuxième meurtre le replongeait dans l'horreur dont il avait cru pouvoir s'échapper grâce à son potager. Il se sentait inapte à conduire une enquête. Qu'un officier plus jeune prenne le relais, il ne pourrait que mieux réussir. Dans la rue Lermontov, il n'avait pas même été capable de s'adresser aux Kravtchenko. Il avait chargé ses hommes de les interroger à nouveau et de mener une enquête de voisinage. Pour l'instant, celle-ci n'avait rien donné : personne n'avait rien vu, le quartier était en état de choc.

Le colonel avait changé d'avis lorsqu'on lui avait apporté l'étoffe qui avait servi à pendre Kolia Kravtchenko. Le meurtrier avait signé son crime en toutes lettres. Il n'était plus question pour Henrik de se dérober. La signature était en réalité la même que celle utilisée dans le cas du petit Zourabov, mais, alors, Kavadze n'avait pas su la déchiffrer. L'assassin insistait. L'enfant était mort poignardé, il en était certain. L'étoffe avec laquelle on l'avait pendu n'était qu'un message, un cri. Celui-ci s'élevait vers les montagnes du Pamir.

Henrik regarda encore le long drap rouge écarlate qu'il avait étendu devant son bureau. Une étoile rouge sombre se détachait en son centre. De part et d'autre de celle-ci était écrit en grandes lettres jaunes :

40e ARMÉE. POUR LA PATRIE.

La 40e armée des forces armées de l'Union soviétique avait participé à la Seconde Guerre mondiale, de 1941 à 1945. Puis on l'avait dissoute. Elle n'avait été reformée qu'en 1979, pour participer au conflit afghan. Elle s'était éteinte en 1989, avec la fin de celui-ci. Son dernier commandant, le général Boris Gromov, était même considéré comme le dernier soldat soviétique à avoir quitté le sol afghan. Il avait ensuite été député et gouverneur de la région de Moscou. Durant les dix années de la guerre d'Afghanistan, la 40e armée comptait en moyenne quarante mille hommes. Pas moins de deux cent mille avaient dû servir sous son étendard. L'adjudant Henrik Kavadze avait été l'un d'eux.

Le policier attrapa son téléphone et appela Kiev. Il dut passer les barrages de deux secrétaires différentes avant d'être mis en attente.

Quelle ironie, soupira Henrik. Balouga et Levon avaient raison ! En le mettant sur la fausse piste d'Arseni Ostapovitch, ils avaient au moins touché juste sur un point : l'Afghanistan. L'ombre de Talukan passa devant ses yeux et le colonel frémit. Combien de morts ce macabre voyage dans le passé exigeait-il encore ?

— Kavadze, si vous m'appelez pour me parler encore de vos histoires délirantes de trafic de drogue, cela va très mal aller. J'accueille en ce moment même mon homologue danois, laissez-moi vous dire que je n'ai pas de temps pour vos enfantillages.

— Monsieur le ministre, il s'agit d'autre chose. Il y a eu un nouveau meurtre à Avdiïvka. Un meurtre d'enfant, sauvage.

— C'est embêtant, ça…

— J'ai de bonnes raisons de penser que le meurtrier est un ancien d'Afghanistan.

— Ce n'est pas déjà le cas du… premier meurtrier ?

Henrik ne releva pas. Ce n'était pas le moment de jouer avec les nerfs du ministre de l'Intérieur Ognen Azbakov.

— Disons que c'est aussi le cas du deuxième meurtrier. Je pense qu'il s'agit d'un ancien de la 40e armée soviétique. Et c'est pour cela que j'ai besoin de vous.

— Comment cela, mon petit Kavadze ?

Henrik avait sans doute dix ans de plus que le ministre, mais il s'abstint de tout commentaire. S'il avait une infime chance d'attraper l'assassin, elle dépendait entièrement du ministre.

— J'ai besoin de la liste des soldats originaires de la région qui ont servi dans la 40e armée. Appelés ou contractuels. Dans un périmètre qui va de Donetsk à Pokrovsk et Gorlovka… Vivants comme morts, ajouta-t-il.

Le ministre se tut quelques instants.

— Votre requête pose problème, Kavadze. Il faudrait que je m'adresse à mon collègue de la Défense… mais le Russe, pas l'Ukrainien ! C'est à Moscou que sont vos archives.

276

— C'est faisable ?

— Vous vous rendez compte de ce que vous me demandez, Kavadze ? Les Russes vont s'imaginer que nous mijotons un coup tordu contre eux. Jamais ils ne croiront que nous sommes prêts à leur demander de l'aide uniquement pour venir en aide aux petits enfants d'Avdiïvka ! Et puis qu'exigeront-ils en retour ? Votre histoire ne me plaît pas du tout.

Henrik laissa passer quelques secondes, le temps que l'autre se calme. Puis il mit toute la conviction qu'il pouvait dans sa voix :

— Vous essaierez ?

Le ministre hésita.

— J'essaierai. Mais il y a une condition. À partir du moment où j'adresse une demande à Moscou, vous gardez pour vous, à tout jamais, vos fantasmes sur un trafic de drogue qui aurait eu lieu à Avdiïvka. Cela vaut aussi si la réponse des Russes est négative.

— J'accepte.

— Bien, fit le ministre, visiblement soulagé.

— Et je me permettrai dans ce cas d'ajouter mes propres conditions.

Henrik sentit qu'Azbakov était près de s'étouffer.

— Vous allez loin, Kavadze, très loin !

— Ma première condition… Ma première demande… est qu'une pension soit versée aux parents des deux enfants tués, Alina Zourabova et le couple Kravtchenko. En tant que victimes de guerre, ou quelque chose de la sorte.

— Parce que chez nous les victimes de guerre

277

touchent des pensions ? demanda le ministre en riant.

— Vous trouverez, coupa Henrik. Et au passage, si vous pouviez fabriquer un beau diplôme assurant que le petit Zourabov est un héros de l'Ukraine, ce serait formidable. Ma deuxième demande est que mon ancien adjoint, Igor Balouga, soit dégradé. Mettez-le lieutenant ou troufion, ça m'est égal, mais qu'on lui enlève ses galons de capitaine.

— Et la troisième ?

Le ministre avait maintenant l'air de s'amuser follement. Cette conversation avec la lointaine province d'Avdiïvka le distrayait visiblement plus que son Danois. Autant en profiter, se dit Henrik en songeant au pauvre bougre qui était toujours en détention depuis l'épisode de l'émeute avortée qu'avait si mal gérée son adjoint.

— Il y a dans la prison de Kharkiv un détenu nommé Ivan Kopeev, un mineur de fond. Il est en détention préventive. J'aimerais qu'il soit libéré et les charges contre lui abandonnées.

— Qu'est-ce qu'il a fait, votre Kopeev ?

— Il a mis son poing dans la gueule d'Igor Balouga.

Les documents arrivèrent trois jours plus tard. En les recevant, Henrik se demanda si Azbakov avait offert aux Russes de reconnaître l'annexion de la Crimée... Ils avaient agi avec une célérité exceptionnelle. Une note manuscrite du ministre l'informait également de la nomination d'Igor Balouga au poste de numéro trois de la police du district de Doubrovitsa. Henrik n'eut pas besoin d'ouvrir un atlas : cela sentait l'exil à plein nez.

La liste contenait six cent quatorze noms. Une trentaine de soldats étaient morts sur le sol afghan, durant le conflit. Henrik n'en connaissait aucun. Morts au combat, pour la plupart. Quelques décès à l'entraînement. Plusieurs crises cardiaques. La dernière actualisation remontait à 1993. Combien, depuis, avaient quitté la partie du document où étaient recensés les vivants ? Une centaine, estima Henrik : l'espérance de vie des anciens de l'Afghanistan était courte... Arseni Vladimirovitch Ostapovitch figurait encore parmi les vivants. Né le 8 juin 1966 à Avdiïvka. Soldat du rang. Henrik aussi. Né le 12 février 1964 à Donetsk, république socialiste soviétique d'Ukraine.

Adjudant. Intercalé entre un Filip Katinkov et un David Kerkorian. C'était un travail titanesque : il fallait trouver l'adresse de dizaines d'hommes que les cahots de la fin de l'URSS avaient pu brinquebaler n'importe où. Et puis quoi ? Sonner à la porte, s'assurer que celui qui ouvrait n'avait pas une tête de tueur d'enfants, jeter un œil dans sa cuisine et lui demander où il était le matin du 17 mai 2018 ? Henrik n'avait rien de mieux. Il avait espéré qu'un nom lui sauterait aux yeux, comme par magie, mais la liste restait ce qu'elle était, un morceau de papier inanimé. Alors oui, c'était la seule solution. Pour restreindre le champ des investigations, il donna l'ordre à son équipe de se concentrer en premier lieu sur les anciens soldats nés à Avdiïvka et dans les environs. Cela faisait près de quarante cibles. Puis d'élargir les recherches. Quand ils arriveraient à la ligne de front, et aux dizaines de natifs de Donetsk, il serait temps d'aviser.

Les recherches ne donnèrent aucun résultat. Le 23 mai, les policiers d'Avdiïvka avaient interrogé plus de soixante personnes. Henrik n'était pas surpris. Il connaissait la plupart des anciens d'Afghanistan installés à Avdiïvka et dans les villages environnants. Certains étaient bien un peu dérangés, mais pas un n'aurait éveillé chez lui de soupçon. À part Ostapovitch. Le colonel avait parcouru encore et encore les six cent quatorze noms; aucun n'allumait en lui de lumière. Il avait envoyé des demandes d'aide aux commissariats des villes voisines. On avait bien identifié un criminel condamné en 1994 pour meurtre, mais il habitait désormais en Allemagne.

Ses hommes étaient mal reçus, et ce ratissage inhabituel avait semé un certain trouble dans Avdiïvka. Malgré tout, la ville restait étonnamment calme. Dès la découverte du deuxième cadavre, le général Vassilkov était venu aux nouvelles, proposant de stationner une unité antiémeute dans une caserne des faubourgs. Cela ne fut pas nécessaire. La nouvelle du meurtre de Nikolaï Kravtchenko avait plongé Avdiïvka dans un état d'hébétude profonde.

L'enterrement du garçon n'avait guère réuni plus de cinquante personnes. On s'habituait. Ceux qui croisaient Henrik Kavadze dans la rue lui jetaient des regards où on lisait plus de consternation que de ressentiment. Le policier n'en était pas particulièrement satisfait. Il connaissait les humeurs changeantes de ses concitoyens. Ils savaient courber les épaules et encaisser les coups. La vindicte n'était jamais loin.

Le 27 mai, Ioulia se leva à l'aube. Les soldats l'avaient devancée : dès 4 heures du matin, le vacarme des explosions avait commencé à retentir dans la partie est d'Avdiïvka. Il en faudrait plus pour la faire reculer : ce 27 mai était la journée la plus importante de son existence. Elle s'y préparait depuis dix jours, depuis le deuxième assassinat. Dix jours durant lesquels elle avait mis sa vie en ordre, cessé de travailler. Les clients étaient nombreux : les soirs de bombardement, tous voulaient la même chose, oublier la peur dans les bras d'une femme. C'était le travail de toutes les putes du monde, la guerre rendait seulement la demande plus pressante. Ioulia n'avait pas besoin des bras d'un homme. Elle ne voulait rien oublier, rien effacer. Quand les bombes pleuvaient, elle rassemblait ses forces et les écoutait tomber. Elle écoutait leur cri et croyait entendre le sien. Elle les imaginait éclater avec fracas sur le Vieil-Avdiïvka. Là où elle allait. Dans quelques heures, elle en aurait fini de craindre pour lui, de penser sans cesse aux bombes et aux assassinats.

La jeune femme vérifia une nouvelle fois, sur son

smartphone, les adresses des habitations touchées au matin : rue Lermontov, rue Zelenskaïa, rue Kolosov, rue Sportivna… Chaque nom lui ôtait un poids du cœur. Au moment de charger le coffre de sa Fiat Punto, elle sourit. Elle était sereine, presque euphorique. La petite voiture bleue filait à toute allure vers la vieille ville. Impatiente, elle aussi.

Il ne l'avait jamais vue au volant, il serait étonné. Sans doute la regarderait-il conduire un moment, puis il s'intéresserait au paysage. Que de paysages différents elle allait lui offrir ! Huit cents kilomètres, jusqu'à Kiev. Ils iraient doucement, s'arrêteraient dès qu'ils en auraient envie, dans chaque ville, chaque village. Peut-être même qu'ils trouveraient un endroit plus beau que les autres, avec des pommiers et des cerisiers, un gentil couple de vieillards, et ils passeraient l'été là.

Ce jour-là, Henrik n'alla pas au commissariat. Dix jours avaient passé depuis la mort du petit Kolia Kravtchenko, il était à nouveau dans une impasse. Il n'en pouvait plus de contempler la fissure au plafond de son bureau. On en était à quatre-vingt-seize anciens combattants interrogés. À Tarasivka, il y avait eu une bagarre. Un type s'était offusqué des questions que lui posait l'agent venu lui rendre visite, la situation avait dégénéré. Elle allait bientôt devenir intenable.

Anna et lui s'assirent dans la Mitsubishi. La veille, il avait rassuré sa femme. Enquête ou pas, ils accompliraient leur rituel comme ils l'avaient fait les quatorze années précédentes. Henrik alluma le contact et se détendit. Que leur restait-il, sinon cette immuable journée de mai ? Ils roulaient sans un mot vers le cimetière. Il n'y avait rien à dire : ils étaient ensemble, ils savaient ce qu'ils avaient à faire. Le 27 mai était une trêve hors du temps. Henrik gara le véhicule devant l'entrée grillagée. Bizarrement, ils marquaient toujours l'anniversaire de la mort de Lena de manière plus joyeuse que celui de sa naissance, en novembre.

Peut-être cela tenait-il au temps. En mai, le cimetière était fleuri, il résonnait du pépiement des oiseaux s'égaillant d'arbre en arbre. Il donna le bras à Anna. C'est elle qui portait le bouquet, comme toujours. Ils parcoururent lentement les allées. Henrik s'arrêta devant une tombe fraîchement creusée, imité par sa femme. Anna arracha au bouquet destiné à leur fille le lys le plus étincelant et le déposa sur la tombe de Sacha Zourabov. Ils continuèrent leur route jusqu'au petit carré de pierre où reposait Lena. Il était surmonté d'une simple croix de bois, dans la tradition paysanne. Entre les pierres et les touffes d'herbe, des marguerites étaient sorties du sol, comme chaque année. Henrik et Anna s'assirent en se tenant la main sur le petit banc de bois qui faisait face à la tombe. Il leur arrivait de venir se recueillir séparément, mais cette journée de mai était la leur. Avant de repartir, ils déposaient le bouquet de lys blanc au sol, sous la croix, puis ils prenaient la voiture et roulaient au hasard dans la direction qui leur plaisait, suivant le vent et les nuages. Ils s'arrêtaient pour déjeuner dès qu'ils croisaient une gargote de campagne convenable, une table posée dans l'herbe à l'ombre d'un arbre. Ils mangeaient un repas léger et parlaient à voix basse, de tout et de rien. La troisième année, Anna avait ajouté une règle : ils devaient laisser leurs téléphones à la maison, n'être dérangés sous aucun prétexte. Henrik avait envie de s'arrêter au bord d'un lac cette année-là. Peut-être qu'ils iraient du côté de Kalinove…

Au bout d'un moment, les deux se levèrent d'un

commun accord. Ils prirent à petits pas le chemin de la sortie, chacun perdu dans ses pensées. Henrik tourna la tête pour sourire à Anna. Il ne termina pas son geste, son visage se figea.

Il était passé cent fois devant cette tombe surmontée d'un large bloc de granit, située à une vingtaine de mètres de celle de sa fille, à quelques pas du chemin. En arrivant, un peu plus tôt, il ne lui avait guère prêté plus d'attention que d'habitude. À présent, le policier ne voyait plus qu'elle. L'inscription gravée dans la pierre indiquait :

ALEXEÏ STEPANKINE – 12-11-1969 – 24-01-1988

Il lâcha la main de sa femme et s'approcha fébrilement de la sépulture. Cela ne veut rien dire, se forçait-il à penser pour se calmer… Le nom figurait dans les documents, sur cette liste qu'il avait lue et relue, et – il s'en rendait compte à présent – qu'il était capable de restituer de mémoire ligne par ligne. « Alexeï Ivanovitch Stepankine. Né le 12 novembre 1969 à Avdiïvka, république socialiste soviétique d'Ukraine. Soldat du rang. Mort le 24 janvier 1988 à Kandahar. Crise cardiaque. »

Soldat de la 40e armée.

Il s'était approché jusqu'à pouvoir toucher la pierre et ne baissa les yeux qu'au bout d'un moment, alors qu'il s'apprêtait à faire demi-tour. Le sol était meuble. Aucun doute possible, la terre sous laquelle reposait le jeune soldat avait été fraîchement retournée.

Henrik se jeta à genoux et commença à gratter. Ses doigts se tordaient dans l'humus, ses ongles heurtaient les cailloux, mais il progressait vite. Anna s'accroupit à côté de lui et planta ses mains à côté de celles de son mari. À un mètre de profondeur, ils sentirent le contact du tissu sur leur peau. Henrik tira le morceau d'étoffe. Un t-shirt, tout petit, maculé de sang et de boue. Sans doute celui de Nikolaï Kravtchenko. Ils continuèrent. Les habits d'enfant s'empilaient à côté d'eux. Pantalons, chaussettes, pulls… Le manteau d'hiver de Sacha Zourabov…

Il savait. Deux ans plus tôt, alors qu'il était assis seul sur le banc face à sa fille, quelqu'un était venu fleurir la tombe d'Alexeï Stepankine. Henrik s'en souvenait parfaitement. Ce jour-là, la visiteuse et lui avaient même échangé des salutations.

Il savait qui tuait ses papillons.

— Anna, emballe ces affaires et va m'attendre au commissariat, cria-t-il à sa femme.

Il se rua en direction de la ville.

Antonina Gribounova attendait Ioulia sur le pas de la porte, insensible au fracas des bombes qui tombaient non loin. Elle avait soigneusement remonté ses cheveux et passé ses habits du dimanche, longue robe fleurie agrémentée d'une collerette blanche. Elle aussi s'était préparée, pensa Ioulia en souriant. Elle gara sa voiture devant le portail branlant.

— Entre, entre, ma petite colombe, dit la vieille femme, sans laisser à la jeune le temps de poser le pied par terre. (Elle lui fourra un sac plastique entre les mains.) Je suis sortie vous acheter quelques provisions pour la route. Les affaires du petit sont prêtes, mais je n'ai pas encore voulu le réveiller. Tu dois m'expliquer, d'abord.

— Antonina Vladimirovna, je ne comptais tout de même pas partir sans au moins vous embrasser pendant deux bonnes heures, plaisanta Ioulia, guillerette.

— Vous vous en allez vraiment, alors ?

— Oui, le moment est venu. Je ne repasserai même pas chez moi. Quand Vassili sera réveillé, nous partirons pour Kiev.

La vieille fixait sa jeune visiteuse avec un regard

indéfinissable. S'y mêlaient de la tristesse et de la joie, de l'incrédulité et une pointe de méfiance.

— Mais tu as préparé quelque chose, là-bas ? Vous allez arriver dans la capitale comme ces milliers de réfugiés, dormir dans des foyers comme des âmes en peine ? Qu'est-ce que tu vas faire à Kiev ? C'est une grande ville, tu sais, difficile.

Ioulia rit gentiment.

— Antonina Vladimirovna, vous savez bien que j'ai économisé de l'argent, durant ces deux ans où je vous ai confié le petit. Assez pour voir venir pendant longtemps. Et assez pour acheter un fonds de commerce. J'en ai repéré un près du monastère Saint-Michel. Ce sera parfait pour mon magasin.

— Et le petit ?

— Le petit ira au jardin d'enfants, puis à l'école, puis à l'université, et nous serons heureux à en avoir des crampes, dit Ioulia joyeusement. Mais nous reviendrons vous voir, Antonina Vladimirovna. Il s'est attaché à vous comme vous vous êtes attachée à lui…

— Vous ne reviendrez pas et c'est très bien ainsi, l'interrompit Antonina d'une voix faussement enjouée. Vous n'avez rien à faire ici, tous les deux…

Comme pour appuyer son propos, une explosion fit trembler les murs et les vitres de la petite maison. Ioulia poursuivit :

— Je continuerai à vous envoyer de l'argent…

— Mais non, mais non, garde ton argent ! J'en avais besoin pour le petit, mais je me débrouillerai très bien sans. Je l'ai toujours fait! Dis-moi seulement… Tu es sûre? Tu te sens prête?

Ioulia avait envie de crier que oui, elle se sentait prête, qu'elle n'avait même que trop attendu. Même Mike était parti avant elle! Après son mystérieux accident, il avait végété quelque temps, puis il avait mis les voiles sans prévenir personne. Ioulia aurait voulu crier son soulagement, mais elle se retint. Elle ne voulait pas offenser la grand-mère. Celle-ci aimait Vassili comme un petit-fils, le lui enlever de manière si soudaine était cruel. Mais c'était le plan dont elles étaient convenues deux ans plus tôt, quand Ioulia lui avait amené le petit. La jeune femme avait besoin d'être seule, l'âme et le corps libres, le temps d'amasser un pécule suffisant pour l'emmener ailleurs le moment venu, lui offrir une autre vie. Un avenir. Elle lui avait demandé de garder le secret sur leur arrangement. Les deux femmes s'étaient comprises. Même si Vassili était petit et ne comprenait pas encore tout, Ioulia ne voulait pas qu'aux yeux des autres, des habitants d'Avdiïvka, il soit «le petit garçon de la putain». Ils n'étaient pas tous méchants, loin de là, mais elle ne voulait pour lui ni de leur pitié ni de leurs moqueries. Elle était prête, pour cela, à se séparer de lui, à taire sa fierté de jeune mère. Elle était même prête à l'exposer aux bombes du Vieil-Avdiïvka: il n'y avait qu'une seule Antonina Gribounova et c'est dans cette partie de la ville qu'elle habitait.

Durant ces deux ans, Ioulia s'était astreinte à une discipline stricte. Elle ne rendait pas visite à son enfant plus d'une fois par semaine. Elle ne venait qu'à pied, pour éviter de se faire remarquer, et ne s'attardait jamais trop longtemps. Et elle n'avait rien dit à personne. Pas même à Henrik Kavadze. Antonina Gribounova s'en occupait à la perfection : elle était comme Ioulia se l'était représentée, pleine de douceur et de tendresse, capable de sévérité quand il le fallait. Depuis un mois, elle s'était mis en tête de commencer à apprendre à lire au petit.

— Allons-y, dit Antonina en se levant d'une façon qu'elle aurait voulue moins solennelle.

Ioulia lui emboîta le pas et les deux femmes, la vieille et la jeune, se dirigèrent vers la chambre de Vassili.

Henrik courait à en perdre le souffle, comme s'il avait eu sur les talons une armée de fantômes : Sacha Zourabov, Nikolaï Kravtchenko, Arseni… Tous essayaient de le prendre de vitesse. L'enfant de Talukan… Ils amenaient la mort, il le sentait. Alexeï Stepankine… Il aurait voulu téléphoner. Mais il eut beau glisser sa main dans sa poche pour la dixième fois, le téléphone n'y était pas. La règle était la règle.

Bien sûr qu'il n'avait rien vu, rien compris. Comment aurait-il pu en être autrement ? Alexeï Ivanovitch Stepankine ? Inconnu au bataillon. Ledit Ivan, le père, avait engrossé la mère sans qu'il y ait eu mariage ! Le brave homme avait pris soin de reconnaître le gosse, de lui donner son nom de famille, puis il s'était carapaté, un jour ou un an après. Même dans l'Union soviétique de la fin des années soixante, la chose était courante. Ou bien il était mort. Le gamin portait le nom de famille de son père, pas celui de sa mère. C'était pourtant bien elle qui l'avait élevé, veillé, et continuait de le faire dans la mort. Elle qu'Henrik avait vue, deux ans auparavant, porter des fleurs sur la tombe de son petit. Alexeï Stepankine. Aliocha…

Le colonel trébuchait à chaque pas, hors d'haleine. Ses yeux étaient emplis de sueur, il se guidait au bruit, celui des explosions de plus en plus proches.

Pourquoi ces meurtres ? Quel macabre cheminement avait suivi la vieille mère ? Pourquoi ces habits enterrés ?

Qui serait le prochain ?

La pièce était vide. L'enfant n'était pas dans sa chambre.

Ioulia et Antonina avaient commencé à chercher Vassili d'abord avec calme, puis avec une inquiétude de moins en moins dissimulée. Il n'était nulle part. Ni dans la maison ni dans le jardin. Personne ne répondait à leurs cris, hormis l'écho des explosions. Ioulia était descendue dans la cave pendant qu'Antonina vérifiait dans la rue si l'enfant n'était pas sorti jouer. Il avait peut-être désobéi et profité de la brève course d'Antonina au magasin pour sortir.

Quand les deux femmes se rejoignirent, Antonina ne put soutenir le regard de la jeune mère. Elle baissa les yeux.

— Antonina Vladimirovna, je vais continuer à chercher dans la maison et aux alentours, dit Ioulia d'une voix blanche. Pendant ce temps, allez chercher Kavadze. Son portable ne répond pas.

Une fois seule, Ioulia se força à ne pas hurler de peur. Elle courait d'une pièce à l'autre en appelant son enfant. Henrik, pourquoi tu ne réponds pas ? La seule fois de ma vie où j'ai besoin de toi… Elle sortit à nouveau dans la rue. Cria. Ses gestes étaient désordonnés, elle partait en tous sens, revenait sur ses pas. Elle finit par se calmer : il fallait être méthodique.

À environ cent mètres de la maison d'Antonina, elle entendit le bruit. Le tonnerre des explosions s'était calmé un instant. Un gémissement bref, étouffé. Elle se retourna. Cela venait de la maison d'en face. La jeune mère n'avait jusque-là pas prêté attention à cette bicoque aux volets fermés. Mais la légère plainte qu'elle avait entendue venait bien de cette direction. Elle s'élança vers la porte. Ouverte. Elle s'arrêta, figée, au milieu de la pièce principale.

— Vassili ! cria-t-elle.

Son fils se tenait face à elle, dans les bras d'une femme vieille et sèche, toute de noir vêtue, qu'elle n'avait aperçue qu'une seule fois, lors de l'enterrement du petit garçon assassiné. La femme avait placé sa main sur la bouche de Vassili pour l'empêcher de crier. Dans son autre main, elle tenait un long couteau.

— Ah, voilà la mère ! dit la vieille femme d'une voix grinçante.

Ioulia se jeta vers Vassili, les bras tendus en avant. Elle percuta Loussia Louzovitch au niveau de la taille. Les trois basculèrent en arrière. Ioulia parvint à s'emparer de l'enfant, elle le tenait le plus loin possible, hors d'atteinte. Dans sa chute, elle s'écrasa comme une masse sur la vieille femme.

Le garçonnet s'était redressé et hurlait. Une explosion fit éclater une vitre et manqua de le soulever du sol. Il s'approcha de sa mère et lui toucha le dos, espérant qu'elle allait se retourner et l'emmener vite loin de la méchante femme. Sa veste était poisseuse, et Vassili retira sa main. Rouge. Sous la jeune femme, Loussia Louzovitch se débattait comme un scarabée renversé sur le dos.

Ioulia parvint à basculer sur le côté. Son buste était imbibé de sang, transpercé par la lame du couteau sur lequel elle s'était effondrée.

— Vassili, sors de la maison, parvint-elle à articuler. Tourne à gauche et cours jusqu'à rencontrer quelqu'un. Ne t'arrête pas avant, ne regarde pas en arrière. Fais-le tout de suite, sans poser de question. File, mon ange, maman t'aime.

Le petit garçon sanglotait. Il jeta un dernier regard étonné à sa maman et partit en courant.

Il fallut de longues secondes à Loussia Louzovitch pour se dégager. Elle grognait de rage. La vieille femme fit mine de partir à la poursuite du petit mais se ravisa avant d'avoir passé la porte. Elle s'assit sur une chaise, face à Ioulia. Celle-ci gisait, sur le dos, le poignard encore planté dans son ventre. La jeune femme respirait avec difficulté.

— Fillette, que fais-tu ? Tu meurs ? Quel bête accident ! Et ton fils, qu'est-ce qu'il va devenir ? Si, je le vois bien que tu meurs ! Tu n'arrives déjà plus à respirer ! Laisse-toi aller, fillette. Tu verras, ce n'est pas douloureux. Ton fils s'en sortira peut-être. Oh, ce n'est pas drôle d'être orphelin, mais est-ce pire qu'être une mère sans son fils ? Quel âge as-tu ? Tu as déjà vécu plus que mon Alexeï, fillette… Oh, comme il m'aimait, mon tout-petit ! Il ne serait pas parti en m'abandonnant au sol, lui ! Quand son père nous a quittés, il disait : « Maman, ce n'est pas grave, on restera tous les deux et on sera bien. » Il le répétait sans cesse, dès que j'avais l'air triste. Quand il trouvait un peu d'argent, il revenait de l'école avec un sac de bonbons et m'en offrait. Pas à ses copains, seulement à moi. Les garçons se moquaient de lui, les filles l'aimaient. Elles voyaient bien qu'il était doux et inoffensif. Quand ils l'ont appelé à l'armée, j'ai voulu me traîner à genoux jusqu'au bureau de recrutement pour les supplier de me laisser mon fils. Ou au moins pour qu'ils ne l'envoient pas en Afghanistan ! Une femme seule, est-ce qu'on peut lui prendre son fils ? J'aurais été jusqu'à Moscou, s'il m'avait laissée faire. Mais est-ce qu'il pouvait penser à la mort, lui ? Il me disait : « Laisse-moi y aller, si on m'appelle, c'est qu'on a besoin de moi. Je suis fort maintenant, je ferai attention. »

Je suis venue le voir à l'entraînement, à Tachkent. Il n'a pas eu honte. Il m'a désignée fièrement à ses copains, eux ricanaient. Il est parti m'acheter un sac entier de bonbons. J'ai pleuré et il m'a réconfortée sur son épaule. Mon fils était fort et grand ! Mais quel entraînement c'était ! Ils les ont fait courir dans la steppe pendant deux mois puis ils les ont envoyés là-bas. Ils avaient tiré trois fois à la kalachnikov. Des enfants, tous ! Qu'est-ce qu'ils imaginaient, à Moscou, qu'ils se transformeraient en tueurs ? Et pourtant oui, c'est ce qu'ils sont devenus. Des tueurs. Des enfants tueurs apeurés… Les autres me l'ont dit, après. Ils n'avaient qu'une seule obsession, là-bas. Manger, dormir, rester en vie. Alors oui, quand ils voyaient une silhouette suspecte sur la route, ils tiraient d'abord. Tous en même temps. Ils ont tué des enfants et des vieillards, mais les enfants et les vieillards étaient dangereux, là-bas. Tout était dangereux ! Et mon Aliocha, est-ce qu'il avait peur ? Oui, je crois. Il ne me le disait jamais, il ne voulait pas m'inquiéter. Il m'écrivait seulement des mots tendres, il me rappelait nos bons souvenirs. Il me disait que quand il reviendrait, il voudrait que je lui prépare des boulettes de viande. Et lui m'achèterait des bonbons à la gare… Les autres, les officiers surtout, ils se préparaient tous au retour. Ils faisaient des stocks de tapis, de grille-pain, ils amassaient de petites fortunes. Aliocha n'a jamais pensé à cela ! Il a toujours été gentil et désintéressé. C'est moi qui l'ai élevé comme ça. Et je n'aurais pas dû ! Il serait resté en vie, s'il avait été méchant ! Il ne m'aurait pas offert de sacs de bonbons. Une mère, ça peut vivre sans bonbons ! Mais est-ce que ça peut vivre sans son fils ?

Oh, je l'ai cru. J'ai pleuré pendant cinq ans et j'ai cru que je pourrais recommencer à vivre. Pas à être heureuse, seulement à vivre. Une petite vie tranquille, où je n'aurais dérangé personne. Les seuls que je voulais voir, c'étaient les anciens de l'Afghanistan. J'allais à leurs clubs, à leurs réunions. Au début, ils ne voulaient pas, mais qu'est-ce qu'ils pouvaient faire ? Arseni m'a tout raconté. Tu connais Arseni, fillette ? Il m'a dit ce qu'ils ont fait, là-bas, ce qu'ils ont vu. Je sais qu'ils ont tué, mais pas Aliocha. Pas Aliocha ! Arseni me l'a dit. Et même s'il avait tué, s'il avait été cruel, je m'en moque ! J'aurais préféré qu'il vive. J'aurais préféré qu'il tue et qu'il revienne dormir dans son lit à la maison. Je lui aurais fait des câlins et il aurait tout oublié.

Qu'est-ce qu'il y a, fillette ? Je t'ennuie ? Pourquoi tes yeux se ferment ? Je vais te raconter quelque chose d'intéressant. Tu sais comment mon Alexeï est mort ? Arseni me l'a dit, il m'a tout raconté. Ils l'ont mis de garde, la nuit, et il est mort de froid. La veille, il y avait eu une bagarre. Aliocha s'était fait frapper par les autres garçons. Mon petit ! L'officier est arrivé, il a à son tour frappé Aliocha. Puis il l'a envoyé prendre un tour de garde dehors. En sous-vêtements, rien d'autre. Pour le punir! Oh, le petit Aliocha! En caleçon dans la montagne, en plein mois de janvier! Ha ha, quelle drôle de scène! Ils l'ont laissé comme ça la nuit entière. Il était gentil, il n'a pas osé rentrer. Il n'a pas osé appeler. Et si on le frappait encore? Il est resté là et il a gelé, mon petit Aliocha!

Comment vivre avec cela? Comment vivre? Les autres revenaient avec leurs décorations, leurs grille-pain. Et moi, j'ai eu droit à quoi? Un cercueil en zinc! Oh, le beau cercueil! c'est mon fils qui est dedans. Vous entendez? Mon fils! Pourquoi vous détournez les yeux, tous? De quoi avez-vous peur? Mon petit Aliocha est gentil, il ne vous fera pas de mal! Venez, venez, c'est mon fils! À quoi il ressemble, ton petit cadavre? Il est encore gelé? Il est entier? Ils ne m'ont pas laissée ouvrir le cercueil de zinc. Mort d'une crise cardiaque à l'entraînement. Voilà ce qu'ils m'ont dit! Qu'est-ce qu'il y avait à voir dans ton cercueil? Oh, j'y ai cru, à ta crise cardiaque! J'y ai cru avant qu'Arseni me dise tout. Pauvre Arseni… Brave petit Alexeï! Ils ne m'ont pas rapporté une seule de ses affaires. Donnez-moi une chaussette, gentils officiers! Une cuillère! Un peigne? Rien. Tout ce que j'ai, c'est moi qui l'ai amassé, année après année. Mes couteaux, mes gamelles, les uniformes. Mon drapeau! Mon beau drapeau rouge. Avance, vaillante 40e armée.

Oui, oui, j'ai vécu. J'ai tout caché. À tout le monde.

Rien montré. J'ai bercé Aliocha tous les soirs. Je l'attendais, il arrivait et je le berçais. Nous étions bien, tous les deux, comme il me l'avait promis. Et puis cette guerre est arrivée. Tu t'en souviens, fillette ? Je l'ai tout de suite aimée, cette guerre ! La belle petite guerre ! Au début, ils avaient juste de petites kalachnikovs ridicules, je n'ai pas compris que c'était la guerre. Et puis j'ai vu qu'ils pouvaient tuer, ces petits morceaux de métal… Quel bonheur ! Et les tanks ? Oh, les jolis petits tanks ! Quel bruit ! Quelle puissance ! Ça, ils ont beaucoup tué, oh oui, beaucoup tué ! Et les avions, et les canons ! Quel spectacle, tout de même, ces obus qui tombent ! Un vrai feu d'artifice ! Et quelle force ! Quelles belles blessures ! Oh, ma chère amie, où sont passées vos jambes ? Vous saignez ? Oh, mon petit ange, qu'as-tu fait de ta mâchoire ? Tu l'as mangée ? Vilain garçon ! Vilain petit garçon mort sans mâchoire ! Fiodor Mikhaïlovitch, pourquoi vous ne parlez plus ? Vous avez le souffle coupé ? C'est normal, voyez le sang qui coule de votre bouche. Tiens, on y voit aussi une dent. Un morceau de langue gargouille au fond de votre gorge. Oh, ces cris des mères ! Je me souviens encore de Katia, ma voisine. Un obus est tombé dans son potager. Horreur, son fils y travaillait ! Il est coupé en deux, le pauvre ! Voilà Katia qui hurle. Mon petit ! Mon tout-petit ! Mais enfin, Katia, ton tout-petit a 50 ans, il pèse cent vingt kilos, il est laid, gros, chauve ! Oh, ma chérie, Katia, tu comprends à présent ? Vous comprenez, vous autres ?

Fidèles petits canons, vous êtes les derniers. Bientôt, cela va s'arrêter et même vous, vous allez vous taire. Et quoi alors? Plus rien? Dix mille morts? Quinze mille morts? C'est tout!

La ridicule petite guerre! La vilaine petite guerre! Et quoi? Elles allaient faire la fête, toutes ces mères? Elles allaient dire quoi? Moi, mon fils a survécu à la guerre. Non! Vous ne savez pas ce qu'est la guerre, mes petites bonnes femmes. Vous ne savez rien. Vos fils ne savent pas ce qu'est la guerre. Petite guerre de rien du tout. Gentille petite guerre, il faut t'aider! Tue, tue, petite guerre! Tue, tue, ma bonne Loussia!

Comme j'aurais aimé voir leurs visages quand je tuais leurs petits! Peut-être même que je leur aurais offert mon épaule pour pleurer. Petite mère, viens là, moi je te comprends. Oui, c'est moi qui ai tué ton fils. Mais il ne faut pas m'en vouloir! Viens là, petite mère, nous sommes égales à présent. Ce n'est pas merveilleux? Et vous autres, vous vous croyez à l'abri? Je vais vous apprendre! Tuer! Vous comprendrez, alors, ce que veut dire perdre son enfant. Venez par là, petites mères. Petites mères de tous les pays, unissez-vous! Tuons nos enfants!

Petite mère afghane, tu m'entends? Toi aussi, tu es triste. Ne t'en fais pas, je m'occupe de tout. J'ai tué le petit d'une autre dans la neige. Mon premier! Mon premier rien qu'à moi. Je l'ai trouvé par hasard. Il cherchait du charbon. C'est mon sac de charbon, je l'ai vu avant toi! Je l'ai épinglé comme ils ont épinglé ton enfant, petite mère afghane. Arseni m'a

304

tout raconté. Puis j'ai donné ses habits à mon petit. Tu n'auras plus froid, Aliocha ! Regarde, les autres petits garçons te prêtent leurs vêtements. Nous ne sommes plus seules, petite mère ! Tuer… Quelle découverte ça a été ! Oh, si j'avais compris cela avant ! Bonne citoyenne que je suis, je faisais confiance à cette petite guerre, moi ! Erreur ! Et voilà le deuxième ! Je l'ai observé. Attrapé et perforé. Accroché. Tes vêtements pour mon petit Aliocha ! Je leur ai laissé mon beau drapeau rouge, ils ont dû comprendre ! Non, ils n'ont rien compris. Ils oublient tout. Il s'est débattu, celui-là, ça n'a pas été aussi facile que le premier. Mais j'ai été forte, efficace ! Plus efficace que cette petite guerre de rien du tout. Tu m'as déçue, petite guerre ! Laissez faire Loussia ! Je ne chômerai plus, désormais.

Quand Henrik arriva dans la maison de Loussia Louzovitch, il vit Ioulia étendue sur le dos, seule. Le policier vérifia rapidement son pouls. La jeune femme ne respirait plus, son poignet était déjà froid. Une large flaque de sang s'était écoulée de sa poitrine.

Il sortit dans la rue et reprit sa course effrénée. Ses poumons étaient en feu, sa gorge le brûlait, mais il se força à ne pas ralentir. Il prit la direction du front. N'était-ce pas le seul endroit où pouvait aller la vieille Loussia ? Si elle se cachait ailleurs, on aurait tôt fait de la retrouver. Il entendait déjà, à mesure qu'il se rapprochait, le claquement des armes automatiques et le staccato régulier des mitrailleuses. Bruit inhabituel, celui de combats sérieux, acharnés, qui poussaient les hommes hors de leurs abris.

Au coin de la rue Kolosov, il aperçut la silhouette de Loussia Louzovitch. La vieille se hâtait à petits pas rapides vers le brasier des combats. Sa longue robe noire et ses cheveux gris se confondaient sur le bitume humide. Elle n'avait encore qu'une centaine de mètres à parcourir avant d'atteindre les premières lignes. Si elle parvenait à se faufiler jusqu'aux positions ennemies, elle pouvait espérer disparaître dans la zone séparatiste. Henrik accéléra sa course. Il n'aurait aucun mal à la rattraper.

Il s'arrêta un instant pour reprendre son souffle, à deux doigts d'exploser. Quelle poursuite ! pensa-t-il. Deux vieillards, deux spectres frêles trottinant l'un derrière l'autre, poursuivis chacun par leurs fantômes. Il revit Ioulia étendue sur le sol. Il avait agi comme un automate et réalisait seulement à présent que la jeune femme était morte. Il ne reverrait plus jamais son sourire, ses fossettes. Il repartit, corps tendu vers l'avant. Loussia Louzovitch avouerait ses meurtres. Elle s'expliquerait. Elle serait jugée. Avdiïvka retrouverait son calme, sa routine, sa guerre.

Le policier eut à peine le temps de se sentir décoller du sol. Il vit comme dans un rêve la route disparaître dans un nuage de gravats et de poussière. Une nouvelle explosion le plaqua au sol, suivie d'une autre, puis encore une autre. Henrik en avait perdu le décompte, son cerveau compressé par le souffle. Des Grad ! pensa-t-il avec difficulté. Le déluge de feu et de métal qui s'abattait autour de lui était le résultat d'un pilonnage de roquettes Grad, les lance-roquettes montés sur des camions, héritiers des fameux orgues de Staline. Un seul de ces engins pouvait propulser en rafales jusqu'à quarante tubes d'acier remplis d'explosif, avec une précision toute relative mais une puissance de feu qui lui permettait de réduire à néant un périmètre de plusieurs dizaines de mètres carrés en quelques secondes.

Quand Henrik émergea, il n'entendait plus. Ses tympans étaient bouchés, sa gorge remplie de poussière, il avait envie de vomir. Il vérifia un à un ses membres, étonné d'être encore en vie. Sa jambe droite le faisait souffrir, mais il ne vit aucune plaie apparente. Sa chemise était déchirée, laissant apparaître des écorchures sur l'épaule et la poitrine. Il resta quelques instants assis, attendant que la poussière retombe au sol. Autour de lui, ce n'était que destruction et ruines. Les trois maisons les plus proches, déjà bien entamées, avaient été soufflées d'un coup. À côté, le corps d'un homme était étendu, en marcel et tongs. Un soldat, un morceau d'éclat de métal brûlant planté dans le crâne. Le policier se leva avec difficulté et aperçut Loussia Louzovitch. Elle était assise par terre, hébétée, ses mains reposant sur ses genoux. La vieille femme se releva à son tour et reprit sa marche obstinée, se rapprochant toujours plus du front. Henrik voulut crier, mais aucun son ne sortit de sa bouche. Il fit quelques pas. Plus rapides que les siens. La silhouette de la vieille se rapprochait inexorablement. Le policier avait l'impression de progresser dans le brouillard, mais son attention fut attirée par un mouvement sur sa droite. Un enfant était assis contre le mur à demi écroulé d'une maison, sa respiration saccadée lui soulevant la poitrine à la faire éclater. Du sang s'échappait à grands jets de sa cuisse, noircissant le sol autour de lui. Qu'est-ce qu'il

308

foutait là, bordel! Il avait 9 ou 10 ans, son visage était crispé par la douleur, ses yeux fixés sur sa cuisse ouverte. Henrik reprit sa marche, boitillant, près de s'écrouler. Loussia Louzovitch ralentissait, elle aussi, l'espace entre eux fondait. Il s'arrêta à nouveau pour regarder l'enfant. Un morceau de tissu soufflé par l'explosion voletait au-dessus de lui, maintenu en suspension par la poussière. Il se posa avec grâce sur la tête du garçon, s'enroulant autour de ses cheveux gris de poussière pour le recouvrir à la façon d'un turban.

Le sang continuait de s'échapper de sa cuisse. La veine fémorale avait sans doute été touchée. En quelques minutes, il allait perdre un litre de sang. Encore quelques minutes et il serait mort. Henrik jeta un regard vers Loussia puis il s'écarta du chemin et s'agenouilla doucement devant l'enfant de Talukan. Il ôta délicatement le turban de son crâne et le noua autour de sa cuisse, sous l'aine. Il saisit un morceau de bois et enroula l'extrémité du tissu. Serra fort, jusqu'à ce que le sang cesse de jaillir. L'enfant criait. Avec son garrot, il pourrait vivre sans doute encore une heure. Au loin, on entendait déjà la sirène d'une ambulance improbable.

Henrik se releva et reprit sa progression. Loussia Louzovitch avait disparu. Il avançait comme aveuglé par la poussière, détraqué. Il distingua finalement la tranchée d'où les militaires ukrainiens répliquaient aux tirs ennemis, à coups de mortiers et de kalachnikovs. Un soldat jaillit d'un pan de mur où il s'était abrité et lui cria:

— Tu es fou, arrête-toi !

Henrik continua. Le soldat le mit en joue.

— Arrête-toi !

Henrik s'arrêta.

— Tu as vu passer une vieille femme ?

L'autre secoua la tête sans comprendre.

Épilogue

La mer scintillait sous le soleil, caressée par une houle légère. Presque belle, presque bleue. La mer des prolos, des mineurs et des métallos. La mer d'Azov. Celle des flics cabossés et des orphelins. À peine plus qu'un lac, coincée entre la Russie et l'Ukraine, ceinturée par le pont de Crimée. La Riviera du Donbass. Sombre, peu profonde, industrieuse. Là aussi, sur les berges, le béton et le métal étaient omniprésents. L'immense complexe métallurgique Azovstal s'étendait jusqu'à la côte, déployant ses cheminées et ses tours de fer au-dessus des immeubles de Marioupol. Le Donbass ne cédait qu'à contrecœur le terrain aux flots.

Quelques familles prenaient le soleil de juillet, des couples d'amoureux se frôlaient. De la fumée s'échappait des braseros installés sur le sable brun. Grillades, paradis de l'ouvrier. Dans le lointain, un navire de guerre de la marine russe patrouillait.

Le front n'était qu'à une vingtaine de kilomètres à l'est, on se battait jusque sur la plage de Chirokino. Les séparatistes aussi avaient leur Riviera ! Henrik observa le bateau un instant puis il se retourna sur sa serviette. La mer d'Azov aussi était en train de passer sous contrôle russe. L'annexion était silencieuse, presque sans incidents, mais elle paraissait inexorable. Aucun plan de paix ne pourrait garantir à l'Ukraine un contrôle effectif sur ses frontières. Le policier fit glisser ses doigts dans le sable et ferma les yeux. Il entendit la voix d'Anna, chaude et paresseuse.

— Et si on proclamait une république populaire d'Azov, pour leur dire à tous notre façon de penser ? Nous serons soutenus par l'Islande et le Congo, qui nous feront passer clandestinement des glaces et de la bière ?

Il rit. Elle portait un chapeau de paille et un maillot de bain noir échancré. Elle était belle, *malgré tout*, pensa Henrik en souriant.

Il se tourna vers l'enfant qui jouait nu dans le sable, une pelle et un seau à la main. Il traçait de petits chemins entre quatre tours disposées en carré.

— Vassili, demanda-t-il, ton château n'a pas de fortifications ?

Le garçon tourna vers lui ses grands yeux étonnés. Trois jours de plage avaient remplumé son corps frêle et presque fait disparaître les cernes lourds qui ornaient ses yeux. Sa peau sentait le soleil et le sel.

— Ça sert à quoi, tonton Henrik, des fortifications ?

Le policier garda le silence un instant.

— Ça ne sert à rien. Tu as raison, à rien.

Ils remontèrent vers la voiture au moment où le soleil se posait au-dessus de l'eau. Anna était accroupie devant le garçon et enlevait le sable collé à ses pieds avant de lui passer ses sandales. Henrik en profita pour regarder discrètement son téléphone. Petia Vassiliev, son ancien collègue, ne donnait aucune nouvelle. Son dernier message remontait à dix jours déjà : on disait avoir aperçu la vieille Loussia Louzovitch à Starobechevo, à quelques encablures de Donetsk. La police des séparatistes la traquait toujours. Il y avait en revanche un SMS de Levon Andrassian, le deuxième depuis le début de l'été. Henrik l'ouvrit, la photo d'une maison de pierre basse et rugueuse, simple et superbe au milieu d'une prairie apparut. Dans le fond, un phare surplombait des falaises qui plongeaient dans l'océan. « J'ai trouvé. Pointe de Sagres, Portugal », disait le message…

Vassili et Anna avaient pris place dans la voiture, encore en maillot de bain, leurs serviettes posées contre le dossier de leurs sièges. Henrik démarra la Mitsubishi et vérifia la jauge d'essence : elle était pleine.

Il se tourna vers le garçon installé sur le siège arrière.

— Vassili, c'est toi qui décides. On rentre à la maison ou on longe la mer jusqu'au Portugal ?

Merci à tous ceux qui m'ont accompagné sur les routes du Donbass. À Maria, la première d'entre eux. À ceux qui ont tenu le volant, Jenya et Misha. À ceux qui ont ri dans les caves, Ioulia, Vadim et Guillaume. Aux belligérants et aux civils. Et à mes parents. Merci à mon éditeur, Aurélien Masson.

Le Livre de Poche s'engage pour
l'environnement en réduisant
l'empreinte carbone de ses livres.
Celle de cet exemplaire est de :
250 g éq. CO_2
Rendez-vous sur
www.livredepoche-durable.fr

PAPIER À BASE DE
FIBRES CERTIFIÉES

Composition réalisée par Soft Office

Achevé d'imprimer en mars 2021, en France sur Presse Offset par
Maury Imprimeur – 45330 Malesherbes
N° d'imprimeur : 252384
Dépôt légal 1re publication : mars 2021
LIBRAIRIE GÉNÉRALE FRANÇAISE – 21, rue du Montparnasse – 75298 Paris Cedex 06